まちごとチャイナ
四川省 008

九寨溝
四川蔵族と「ふしぎの渓谷」
［モノクロノートブック版］

岷江上流の山岳地帯、1970年代まで地元民以外にほとんど知られず、ひっそりとたたずんでいた九寨溝。エメラルドブルーやラピスラズリ色に輝く湖群、音と水しぶきをあげながら落ちる滝、それらが連続して水が流れていく九寨溝は、「童話世界」にもたたえられる。

大小100を超える湖沼は透明度が高く、湖底の石や藻類、倒木が見えるほどで、太陽の光で湖面は色を変えていく。こうした九寨溝の景観は、地殻変動と石灰岩質の地勢がつくり出した。同様の地形は、近くの黄龍でも見られ、ともに1992年に世界自然遺産に指定されている。

九寨溝や黄龍の位置する四川省北西部はアバ・チベット族チャン族自治州の管轄で、この地では四川チベット族や羌族などの少数民族が多く暮らす。九寨溝という名前は、「チベット族の寨（集落）が9つある谷」に由来し、チベットの民俗模様と自然があわさって、中国有数の美しい渓谷をつくっている。

Asia City Guide Production
Sichuan 008

Jiuzhaigou

九寨沟／jiǔ zhài gōu／ジィウチャイゴォウ／གཟི་ཙ་སྡེ་དགུ།

｜まちごとチャイナ｜四川省 008｜

九寨溝

四川蔵族と「ふしぎの渓谷」

「アジア城市（まち）案内」制作委員会
まちごとパブリッシング

まちごとチャイナ
四川省 008
九寨溝

Contents

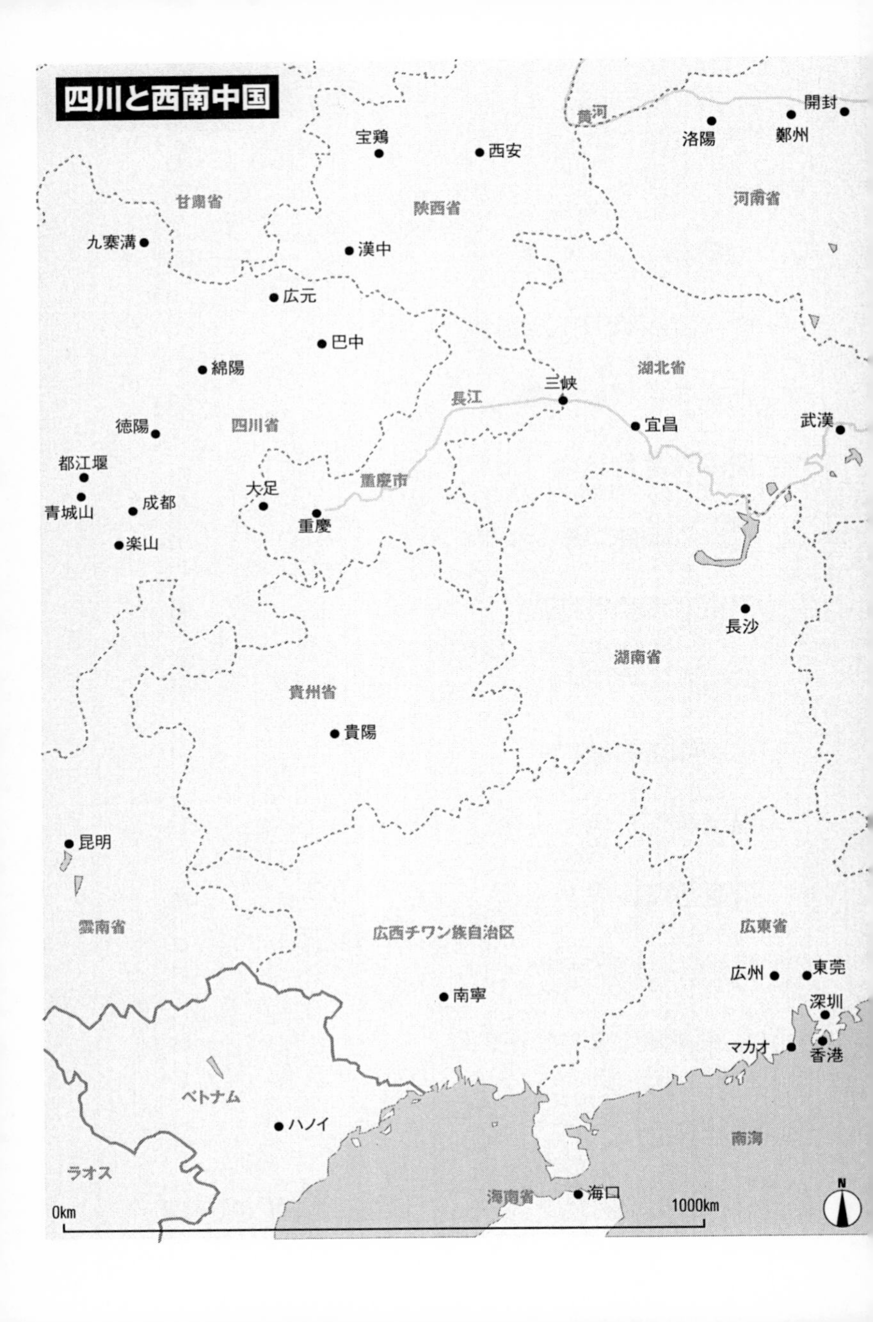
四川と西南中国
黄河
開封
鄭州
洛陽
宝鶏
西安
甘粛省
陝西省
河南省
九寨溝
漢中
広元
巴中
綿陽
湖北省
三峡
長江
宜昌
武漢
徳陽
四川省
都江堰
重慶市
大足
青城山
成都
重慶
楽山
長沙
湖南省
貴州省
貴陽
昆明
雲南省
広西チワン族自治区
広東省
広州
東莞
深圳
南寧
マカオ
香港
ベトナム
ハノイ
南海
ラオス
海南省
海口
0km
1000km
N

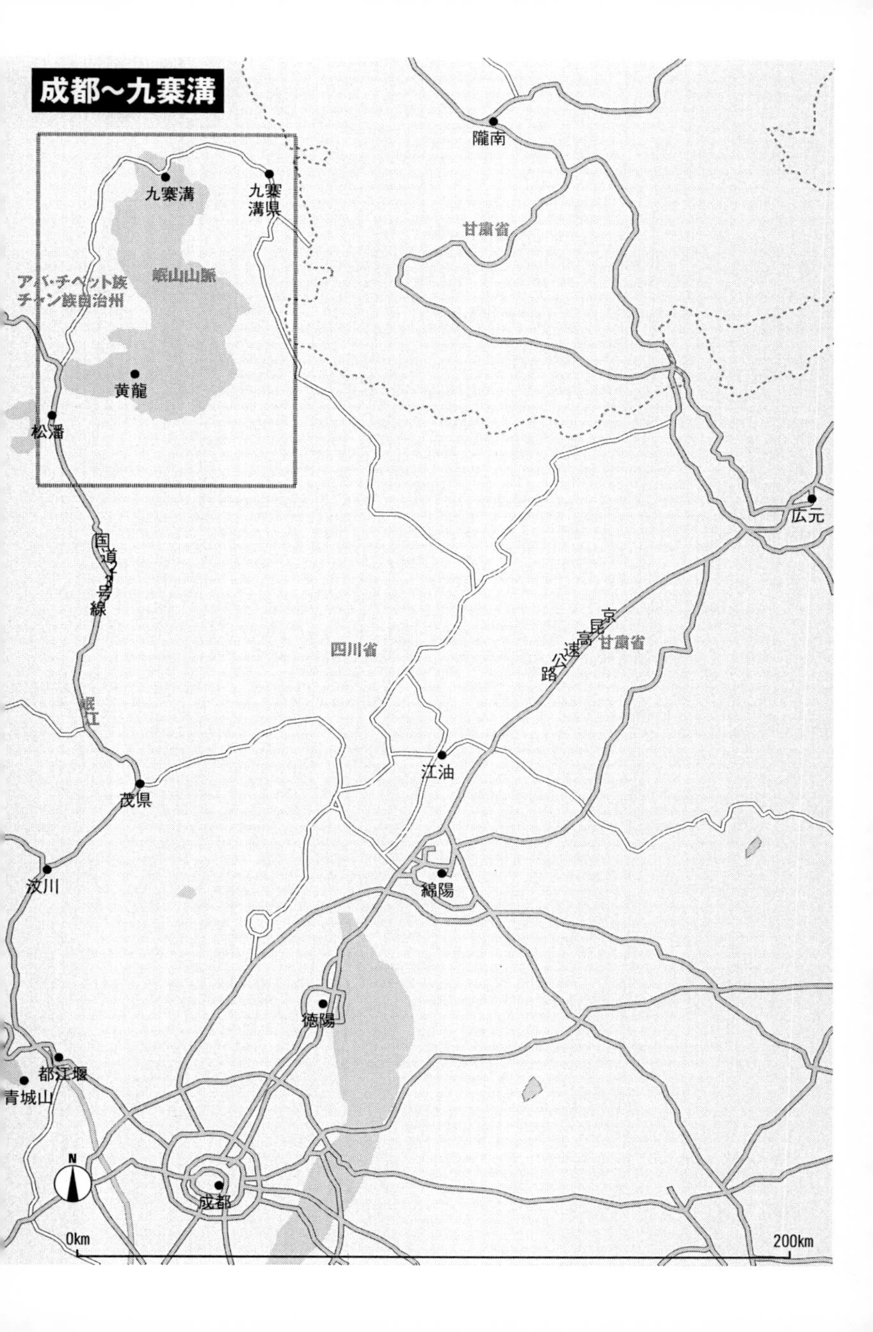

成都～九寨溝
隴南
九寨溝
九寨溝県
甘粛省
岷山山脈
アバ・チベット族
チャン族自治州
黄龍
松潘
広元
岷江
四川省
京昆高速公路
甘粛省
江油
茂県
汶川
綿陽
徳陽
都江堰
青城山
N
成都
0km
200km

★★★

九寨溝／九寨沟 jiǔ zhài gōuジィウチャイゴォウ

黄龍／黄龙 huáng lóngファンロォン

★★☆

松潘／松潘 sōng pānソォンパァン

★☆☆

九寨溝県／九寨沟县 jiǔ zhài gōu xiànジィウチャイゴォウシィエン

Introduction

岷江上流域の童話世界

青い湖、瀑布、彩りの林、雪の峰、藍い氷、チベット族
これらを九寨溝六絶と呼ぶ
「童話世界」や「水景の王」とたたえられる九寨溝

アバ・チベット族チャン族自治州とは

四川省北西部の山岳地帯に広がるアバ・チベット族チャン族自治州。アバのほかアパ、ガパ、アワともいい、漢字では阿壩蔵族羌族自治州と記す。州都にあたるバルカム（馬爾康）、世界自然遺産の九寨溝や黄龍、美しい山の四姑娘山、ジャイアントパンダの生息地である臥龍自然保護区など、豊かな観光資源を有する。自治州とはチベット自治区やウイグル自治区のように省には対応しないが、省に属し、県よりも広い範囲で少数民族が集住する地域をさす。その名の通り、アバ・チベット族チャン族自治州にはチベット族と羌族（チャン族）を中心に少数民族が多く暮らし、自治権があたえられている（岷江、大渡河などの南北の流れとともに多くの民族が行きかい、川西民族走廊と呼ばれてきた）。地理的に言えば、この地はチベット高原の東端に位置し、チベットの伝統的地域区分ではアムドにあたる。州内にはチベット族の信仰対象となっている標高5588mの雪宝頂を主峰とする岷山山脈がそびえ、山岳地帯、草原、湿地などの美しい自然を抱える。豊富な鉱産資源を埋蔵するほか、ジャイアントパンダ、キンシコウ、ウンピョウをはじめとする希少動物の故郷でもある。

九寨溝という名称

九寨溝という地名は、「9つ(九)」のチベット族の「集落(寨)」がある「峡谷(溝)」からとられている。それは渓谷に点在する樹正寨、則査窪寨、黒角寨、荷葉寨、盤亜寨、亜拉寨、尖盤寨、熱西寨、郭都寨のことで、この9つの集落は「何薬九寨」とも呼ばれている。それは渓谷に位置し、山上から見たかたちが蓮の葉に似ていることから名づけられた「荷葉(荷叶) hé yè ハアイエ」の音が、「何薬(何药) hé yào ハアヤオ」に転じたからだという。またこの九寨溝や黄龍が位置するアバ・チベット族チャン族自治州の「アバ」という名称は、唐代の638年、チベット高原に興った吐蕃が、(チャン族こと羌族たちの暮らす)松潘一帯を占領し、チベット兵士たちがこの地で定住したことによる。兵士たちはチベット高原奥地の阿里地区を出自としたため、自らを「アリワ」と称した。「アリワ」は「アワ」となり、中国語で「アバ」と呼ばれるようになった。なお、九寨溝に暮らす白馬チベット族は、文化や習慣でチベット族よりも羌族に近いと言われる。

九寨溝の水と海子

「黄山から帰れば、ほかの山を見ない。九寨から帰れば、ほかの水を見ない」という言葉で、九寨溝の水の美しさはたたえられる。海子(湖)、滝、浅瀬が数珠状につながって、次々に姿を変えながら、林のなかでさえも渓流が流れていく九寨溝の美しい水は精霊にもなぞらえられる。こうした景観は、地殻変動と氷河の浸食によるもので、万年雪をいただく豊富な雪解け水は、数万年のときを越えて年中絶えることなく、水に含まれた石灰分の浄化作用によって透明度の高い九寨溝の湖群はつくられた。九寨溝の湖は、「海子(大きなものは水晶宮)」と呼ばれ、この海子にはそれぞれ発達段階があり、長海や五彩池は壮年期であり、樹正群海、季節海、天鵞海は

ほとばしる水しぶきの滝

水底の倒木まで見通せる透明な水

チベット族の集落が点在する

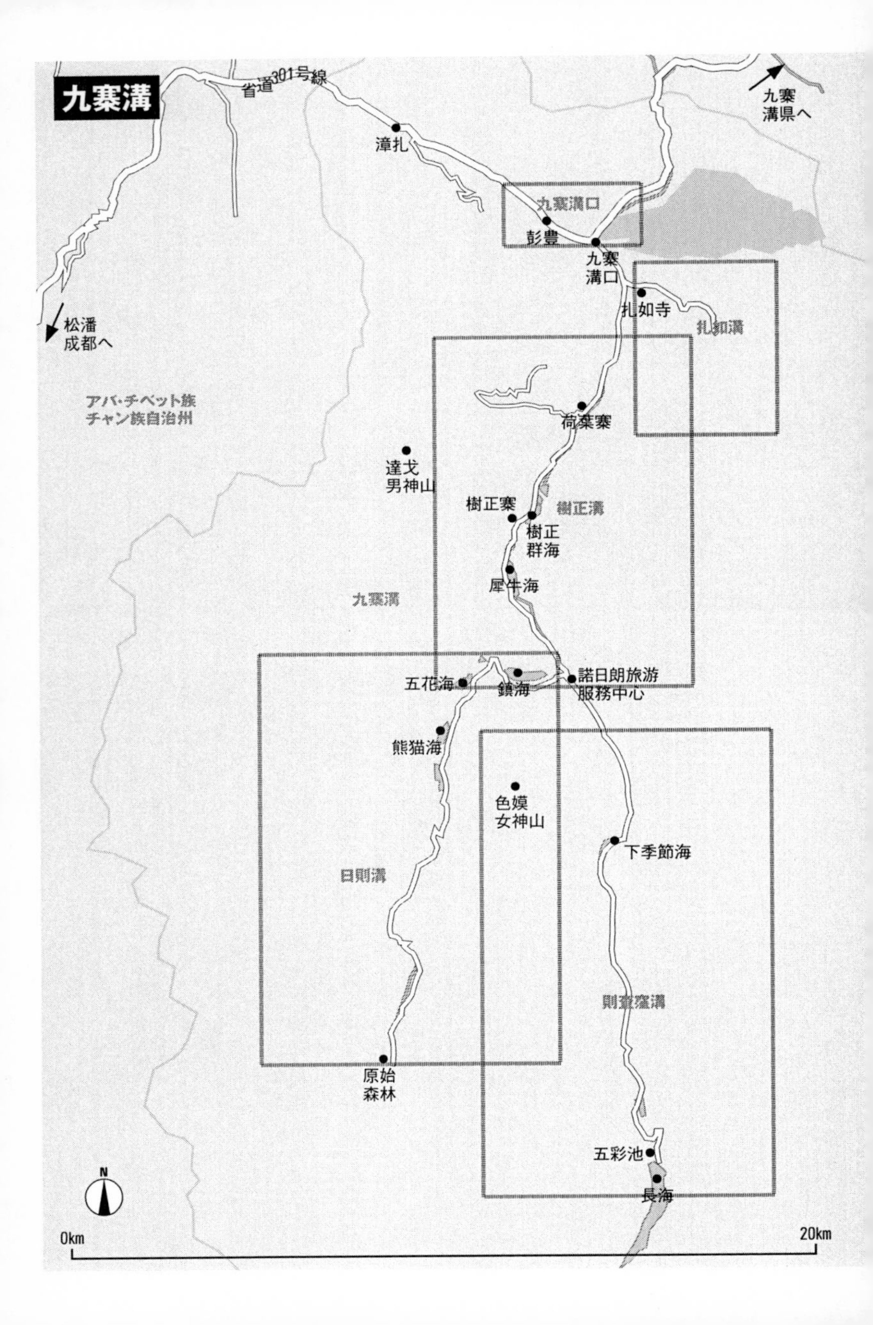

九寨溝
省道301号線
九寨溝県へ
漳扎
九寨溝口
彭豊
九寨溝口
扎如寺
扎如溝
松潘
成都へ
アバ・チベット族
チャン族自治州
荷葉寨
達戈
男神山
樹正寨
樹正溝
樹正
群海
犀牛海
九寨溝
五花海
鏡海
諾日朗旅游
服務中心
熊猫海
色嫫
女神山
下季節海
日則溝
則査窪溝
原始
森林
五彩池
長海
N
0km
20km

老年期だという。湖群が階段状に連続して、水が流れる景観は、九寨溝のほかでは黄龍、またクロアチアのプリトヴィッチェ湖群国立公園で見られる。

九寨溝の構成

渓谷への入口にあたる九寨溝口は標高1996mで、そこから最高地点、標高3060mの長海まで、上流(奥、南)に向かって標高があがっていく。全長55.5km、総面積は1320平方キロメートル、水流の落差は1870mにもなる。渓谷は逆Y字型(九寨溝の入口から見て「Y」の字)をしていて、大小114の「海子(湖)」が点在し、17の瀑布、5の浅瀬、11の早瀬が「海子(湖)」をつないでいる。このうち九寨溝口から渓谷が枝わかれするまでを『樹正溝』、分岐点から南東の渓谷を『則査窪溝』、南

★★★
樹正溝／树正沟 shù zhèng gōuシュウチェンゴォウ
樹正寨／树正寨 shù zhèng zhàiシュウチェンチャイ
樹正群海／树正群海 shù zhèng qún hǎiシュウチェンチュンハァイ
長海／长海 zhǎng hǎiチャンハァイ
五彩池／五彩池 wǔ cǎi chíウウツァイチイ
五花海／五花海 wǔ huā hǎiウウフゥアハァイ
扎如寺／扎如寺 zhā rú sìチャアルウスウ

★★☆
犀牛海／犀牛海 xī niú hǎiシイニィウハァイ
則査窪溝／则查洼沟 zé zhā wā gōuゼェチャアワアゴォウ
日則溝／日则沟 rì zé gōuリイゼエゴォウ
鏡海／镜海 jìng hǎiジィンハァイ
熊猫海／熊猫海 xióng māo hǎiシィオンマオハァイ
原始森林／原始森林 yuán shǐ sēn línユゥエンシイセンリィン
扎如溝／扎如沟 zhā rú gōuチャアルウゴォウ

★☆☆
彭豊／彭丰 péng fēngペェンフォン
九寨溝口／九寨沟口 jiǔ zhài gōu kǒuジィウチャイゴォウコォウ
漳扎／漳扎 zhāng zhāチャァンチャア
荷葉寨／荷叶寨 hé yè zhàiハアイエチャイ
達戈男神山／达戈男神山 dá gē nán shén shānダアガアナンシェンシャン
下季節海／下季节海 xià jì jié hǎiシィアジイジエハァイ
諾日朗旅游服務中心／诺日朗旅游服务中心 nuò rì lǎng lǚ yóu fú wù zhōng xīnヌゥオリイラァンリュウヨウフウウウチョンシィン
色嫫女神山／色嫫女神山 sè mó nǚ shén shānセエモオニュウシェンシャン

西の原始林までの渓谷を『日則溝』という。『樹正溝』は九寨溝のメインストリートと言え、四川チベット族の暮らす「樹正寨」や九十九折状の「樹正群海」が位置する。また『則査窪溝』の最奥には九寨溝最大、最高地点の「長海」があり、もっとも美しい湖の「五彩池」がたたずむ。『日則溝』にはかつてパンダが現れたという「熊猫海」、ちょうど分岐点にある「諾日朗瀑布」が位置する。またこれら3つの渓谷にくわえ、九寨溝口すぐから南東に伸びる『扎如溝』にはボン教の扎如寺が立っている。こうした渓谷の周囲は、4000mの級の12の雪山に囲まれて、総面積の半分以上を森林が占めるなか、チベット族の集落が点在する。

どこまでも青い湖群が連なっていく

Jiu Zhai Gou Xian

九寨溝県城市案内

アバ･チベット族チャン族自治州の北東部
かつて南坪県と呼ばれたこの地は
九寨溝の観光地化を受けて九寨溝県と改名された

彭豊／彭丰★☆☆
péng fēng／ཕེང་ཧྥེང་།
ほうほう／ペェンフォン

九寨溝の渓谷の入口付近に位置する九寨溝県、漳扎鎮彭豊村。九寨溝口まで1.5kmほどで、南が高く、北が低い地勢をもち、周囲を山に囲まれている。1992年の世界遺産登録を受けて、開発が進み、チベット族と漢族双方の要素をとり入れた特色古鎮となっている。ホテルやレストラン、土産物店が集まり、九寨溝への足がかりになる。

天堂口／天堂口★★☆
tiān táng kǒu／ལྷ་ཞིང་མདོ་ཁ།
てんどうこう／ティエンタァンコォウ

酒吧街、美食街、購物街、文化広場からなる天堂口（天堂口民俗風情文化街）。九寨溝を訪れる人たちのために、2013年に開業し、「天への入口」と名づけられた。通りの両脇には黄色と赤のチベット風の建築にホテルやレストランがずらりとならぶ。

九寨溝の料理

九寨溝では、この地方に暮らすチベット族の料理や、四

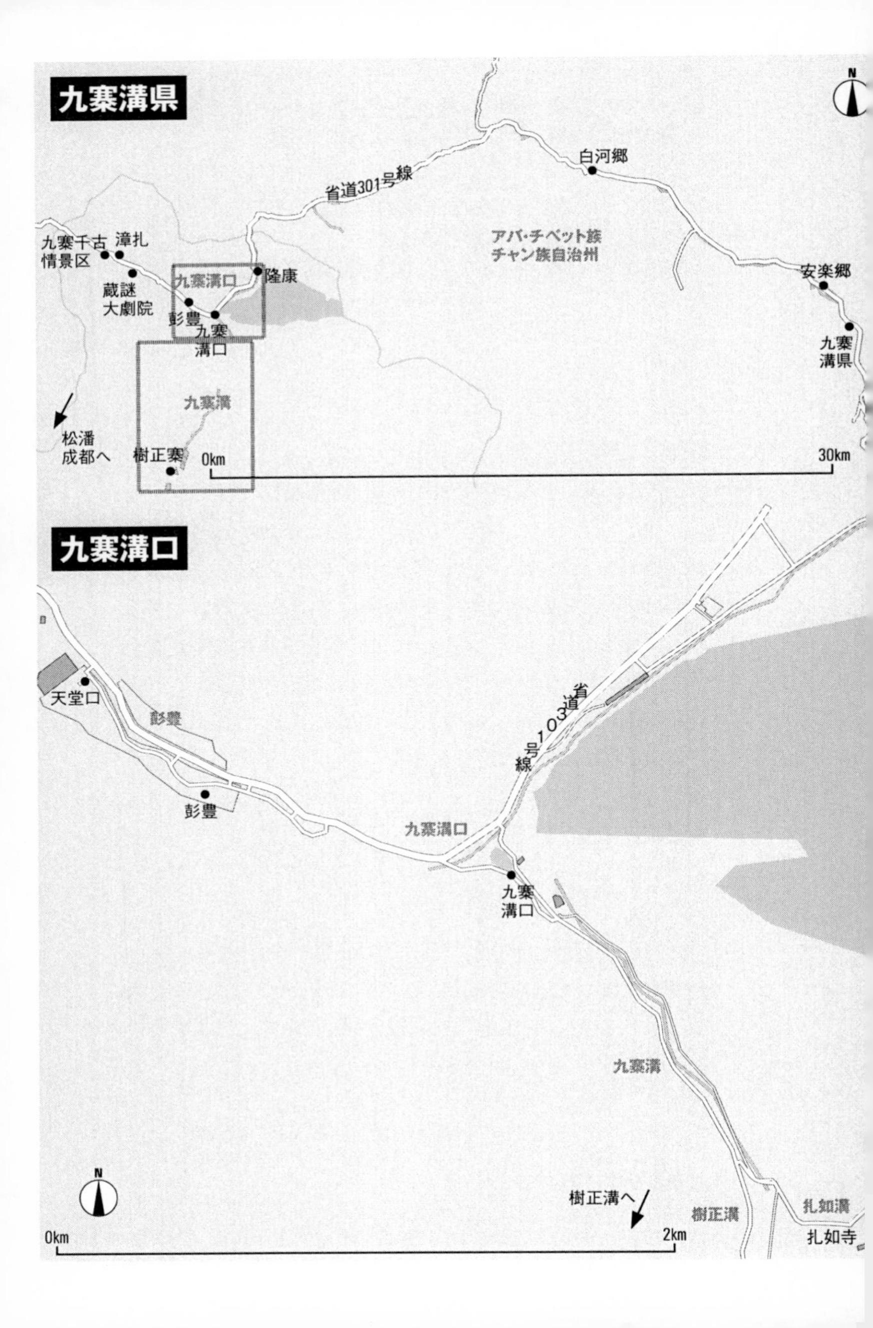

九寨溝県
N
省道301号線
白河郷
アバ・チベット族
チャン族自治州
九寨千古
情景区
漳扎
蔵謎
大劇院
九寨溝口
隆康
彭豊
九寨
溝口
安楽郷
九寨
溝県
九寨溝
松潘
成都へ
樹正寨
0km
30km
九寨溝口
天堂口
彭豊
彭豊
省道103号線
九寨溝口
九寨
溝口
九寨溝
N
樹正溝へ
樹正溝
扎如溝
扎如寺
0km
2km

川料理をはじめとする中華料理が食べられている。大麦を炒って臼にかけて粉にするツァンパ(チベット人の主食)、お茶にヤクの乳と塩を加えて飲むバター茶が九寨溝料理、飲みものの代表格で、醸造酒の「青稞酒(チャン)」も親しまれている。九寨溝のチベット人は、特別な日には「烤全羊(焼いた羊)」や「チベット式小火鍋」を多くの人で囲み、またごはん「蕨麻米飯」、包子の「灌湯包子」、麺料理、干し牛肉、とうもろこし、ヨーグルト、きのこや山菜などの日常食を食べる。

九寨溝のファッション

漢族と異なる民族衣装を着たチベット族の姿が見られる九寨溝。チベット族の男性は、帽子、チベットローブ(蔵袍)、牛皮のロングブーツを身につけている。一方、女性は髪を編みあげ、長い裾のスカートをはき、金銀、真珠、金属コインや宝石を胸飾りや手飾りにあしらっている。ネックレス、ブレスレット、指輪にほどこされた装飾は精緻で美しい。

★★★
樹正溝／树正沟 shù zhèng gōuシュウチェンゴォウ
樹正寨／树正寨 shù zhèng zhàiシュウチェンチャイ
扎如寺／扎如寺 zhā rú sìチャアルウスウ

★★☆
天堂口／天堂口 tiān táng kǒuティエンタァンコォウ
扎如溝／扎如沟 zhā rú gōuチャアルウゴォウ

★☆☆
彭豊／彭丰 péng fēngペェンフォン
九寨溝口／九寨沟口 jiǔ zhài gōu kǒuジィウチャイゴォウコォウ
漳扎／漳扎 zhāng zhāチャァンチャア
九寨千古情景区／九寨千古情景区 jiǔ zhài qiān gǔ qíng jǐng qūジィウチャイチィングウチィンジィンチュウ
九寨溝蔵謎大劇院／九寨沟藏谜大剧院 jiǔ zhài gōu cáng mí dà jù yuànジィウチャイゴォウツァンミイダアジュウユゥエン
九寨溝県／九寨沟县 jiǔ zhài gōu xiànジィウチャイゴォウシィエン

レストランやショップが集まる天堂口

新鮮なフルーツがならんでいた

九寨溝口ここから南に向かって渓谷が伸びる

漳扎、彭豊といった街が九寨溝観光への起点となる

九寨溝口／九寨沟口★☆☆

jiǔ zhài gōu kǒu／གཟི་རྩ་སྡེ་དགུ་ཁ།

きゅうさいこうこう／ジィウチャイゴォウコォウ

松潘と九寨溝、九寨溝県を結ぶ街道上の脇にある九寨溝口。「口」とは入口のことで、九寨溝内と九寨溝外をわける（ちょうど入口は九寨溝景区の北側になり、南側に渓谷が広がる）。九寨溝口の標高1996mで、ここから樹正溝をはじめとする九寨溝の渓谷に道は伸び、標高はさらにあがっていく。九寨溝の旅游中心、自然保護区管理局などの施設が集まっている。

漳扎／漳扎★☆☆

zhāng zhā／ཛང་ཞ།

しょうさつ／チャァンチャア

九寨溝県に属し、九寨溝あたりでは一番大きな街の漳扎鎮（九寨溝口から西に5㎞）。チベット族のほかに羌族、回族、漢族が暮らす。このあたりは小さな集落が点在するばかりだったが、九寨溝の観光地化への気運の高まりとともに、1989年、漳扎村や彭豊村を管轄する九寨溝鎮が生まれた。1998年、より大きな南坪県が九寨溝県と改名したため、九寨溝鎮は漳扎鎮となった。漳扎鎮の管轄区域は長さ11㎞、幅50～400mという渓流にそった細長い地形で、街道上にホテルや観光施設がならぶ。

九寨千古情景区／九寨千古情景区★☆☆

jiǔ zhài qiān gǔ qíng jǐng qū／གཟི་རྩ་སྡེ་དགུ་མཛེས་ལྗོངས་གྲགས་ཅན་ཡུལ་

きゅうさいせんこじょうけいく／ジィウチャイチィングウチィンジィンチュウ

九寨溝を主題としたテーマパークの九寨千古情景区。色嬷女神造像はじめ、チベットのマニ車、タンカ、羌族の望楼や羌村、チベット市場などが見られる。この地方の歌や踊りをとり入れた劇「九寨千古情」も演じられる。

九寨溝蔵謎大劇院／九寨沟藏谜大剧院★☆☆

jiǔ zhài gōu cáng mí dà jù yuàn／གཟི་རྩ་སྡེ་དགུ་བོད་སྐད་ཕྱོག་གྱུར་བྲ་གར་བློས་གར་ཁང།

きゅうさいこうぞうめいだいげきいん／ジィウチャイゴォウツァンミイダアジュウユゥエン

九寨溝に生きるチベット族をモチーフにした劇を上演する九寨溝蔵謎大劇院。鮮やかな衣装、歌や踊りをまじえた物語が展開する。漳扎に位置する。

九寨溝県／九寨沟县★☆☆

jiǔ zhài gōu xiàn／གཟི་རྩ་སྡེ་དགུ་རྫོང།

きゅうさいこうけん／ジィウチャイゴォウシィエン

四川省北西部、アバ・チベット族チャン族自治州の北東端に位置する九寨溝県。九寨溝が世界遺産に登録されたことを受け、現在の名称となり、この地域の行政中心地となっている（白馬チベット族、漢族などが暮らしている）。歴史をさかのぼると、隋代、近くに扶州城が造営され、その後、この地は南坪県の名前で知られていた。元末明初、漢族の商人が移住してきて、明代は松潘衛に属する南坪営となった。清代の1729年、南坪県城が造営され、「南坪に美しい湖（九寨溝）がある」という当時の記録も残る。かつては城隍廟や文昌楼、鎮江楼、陝西会館などが位置し、1857年に建てられた清真寺や、聚宝山風成寺は今も残る。世界遺産に登録されたことを受け、1998年に九寨溝県となり、九寨溝県は甘粛省に隣接している。ちょうど嘉陵江へ流れる白水江の上流域にあたり、九寨溝県の主要街道は白水江にそって走り、永楽鎮と漳扎鎮といった主要な集落、九寨溝口も街道上にある。九寨溝まで43㎞。

Rendezvous in jiuzhai

Shu Zheng Gou

樹正溝鑑賞案内

九寨溝を代表する渓谷の樹正溝
美しい水が数珠つなぎになって流れ
荷葉寨や樹正寨などのチベット族の集落も残る

樹正溝／树正沟★★★
shù zhèng gōu／ཤུ་ཀྲེང་ཀོའུ།
じゅせいこう／シュウチェンゴォウ

九寨溝景区の入口にあたる九寨溝口から、諾日朗瀑布まで続く13.8㎞の樹正溝。逆Y字型の渓谷をつくる九寨溝にあって、中央の分岐点まで伸びる目抜き通りとなっている。チベット族の集落の「樹正寨」はじめ、「樹正群海」「樹正瀑布」などが位置し、樹正溝は「九寨溝の縮図」と呼ばれる。19の海子（湖）が連続する。

九寨溝の春夏秋冬

万年雪をいただく高山が周囲にそびえ、四季折々の美しさを見せる九寨溝。春、雪解けとともに新芽が吹き出し、赤や黄、紫など、色とりどりのツツジ、やまなし、やまももが咲く。夏は九寨溝の水量が増え、森林の緑は鮮やかで、湖と空が美しい対照を見せる。秋になると湖のほとりの森林は紅葉にそまり、かえでやハゼノキ、杏は、赤、オレンジ、紫といった色を湖面に映す。冬の九寨溝は雪景色でおおわれ、白銀の雪と湖の青が美しい情景をつくる。1月はマイナス20度になることもめずらしくなく、7月の最高気温は32度にまであがり、年の平均気温は20度ほどになる。

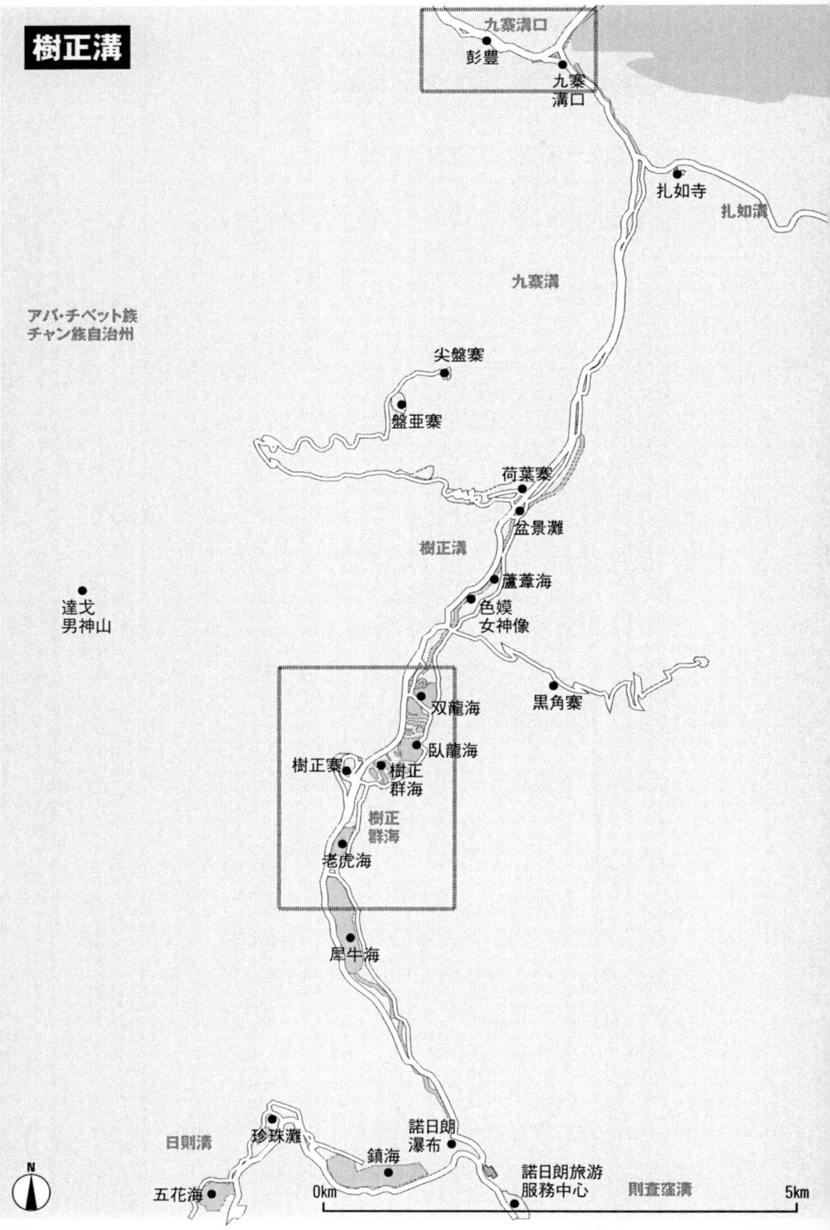

樹正溝

九寨溝口
彭豊
九寨
溝口
扎如寺
扎如溝
九寨溝
アバ・チベット族
チャン族自治州
尖盤寨
盤亜寨
荷葉寨
盆景灘
樹正溝
蘆葦海
色嫫
女神像
達戈
男神山
黒角寨
双龍海
臥龍海
樹正寨
樹正
群海
樹正
群海
老虎海
犀牛海
諾日朗
瀑布
珍珠灘
日則溝
鎮海
諾日朗旅游
服務中心
則査窪溝
五花海
N
0km
5km

荷葉寨／荷叶寨★☆☆

hé yè zhài／པད་མ་རི་ཁྲུས།

かようさい／ハアイエチャイ

荷葉寨は渓谷に入って、最初のチベット族の集落。九寨溝の9つの村でもっとも大きい村で、伝統的な木造のチベット民居やたなびくタルチョ、のどかな田園風景が見られる。また、この地方の醸造酒である青稞酒やバター茶も味わえる。荷葉寨という名称は、上から見ると、集落が大きな蓮の葉のようなかたちをしていることから名づけられた。九寨溝と同義語である「何薬九寨」という呼称は、荷葉寨からとられている。

★★★

樹正溝／树正沟 shù zhèng gōuシュウチェンゴォウ
樹正寨／树正寨 shù zhèng zhàiシュウチェンチャイ
樹正群海／树正群海 shù zhèng qún hǎiシュウチェンチュンハァイ
諾日朗瀑布／诺日朗瀑布 nuò rì lǎng pù bùヌゥオリイラァンプウブウ
五花海／五花海 wǔ huā hǎiウウフゥアハァイ
扎如寺／扎如寺 zhā rú sìチャアルウスウ

★★☆

臥龍海／卧龙海 wò lóng hǎiウォオロォンハァイ
老虎海／老虎海 lǎo hǔ hǎiラォオフウハァイ
犀牛海／犀牛海 xī niú hǎiシイニィウハァイ
則査窪溝／則査洼沟 zé zhā wā gōuゼェチャアワアゴォウ
日則溝／日則沟 rì zé gōuリイゼエゴォウ
鏡海／镜海 jìng hǎiジィンハァイ
珍珠灘／珍珠滩 zhēn zhū tānチェンチュウタァン
扎如溝／扎如沟 zhā rú gōuチャアルウゴォウ

★☆☆

彭豊／彭丰 péng fēngペェンフォン
九寨溝口／九寨沟口 jiǔ zhài gōu kǒuジィウチャイゴォウコォウ
荷葉寨／荷叶寨 hé yè zhàiハアイエチャイ
盆景灘／盆景滩 pén jǐng tānペンジィンタァン
蘆葦海／芦苇海 lú wěi hǎiルウウェイハァイ
色嫫女神像／色嫫女神像 sè mó nǚ shén xiàngセエモオニュウシェンシィアン
双龍海／双龙海 shuāng lóng hǎiシュウアンロォンハァイ
達戈男神山／达戈男神山 dá gē nán shén shānダアガアナンシェンシャン
諾日朗旅游服務中心／诺日朗旅游服务中心 nuò rì lǎng lǚ yóu fú wù zhōng xīnヌゥオリイラァンリュウヨウフウウウチョンシィン

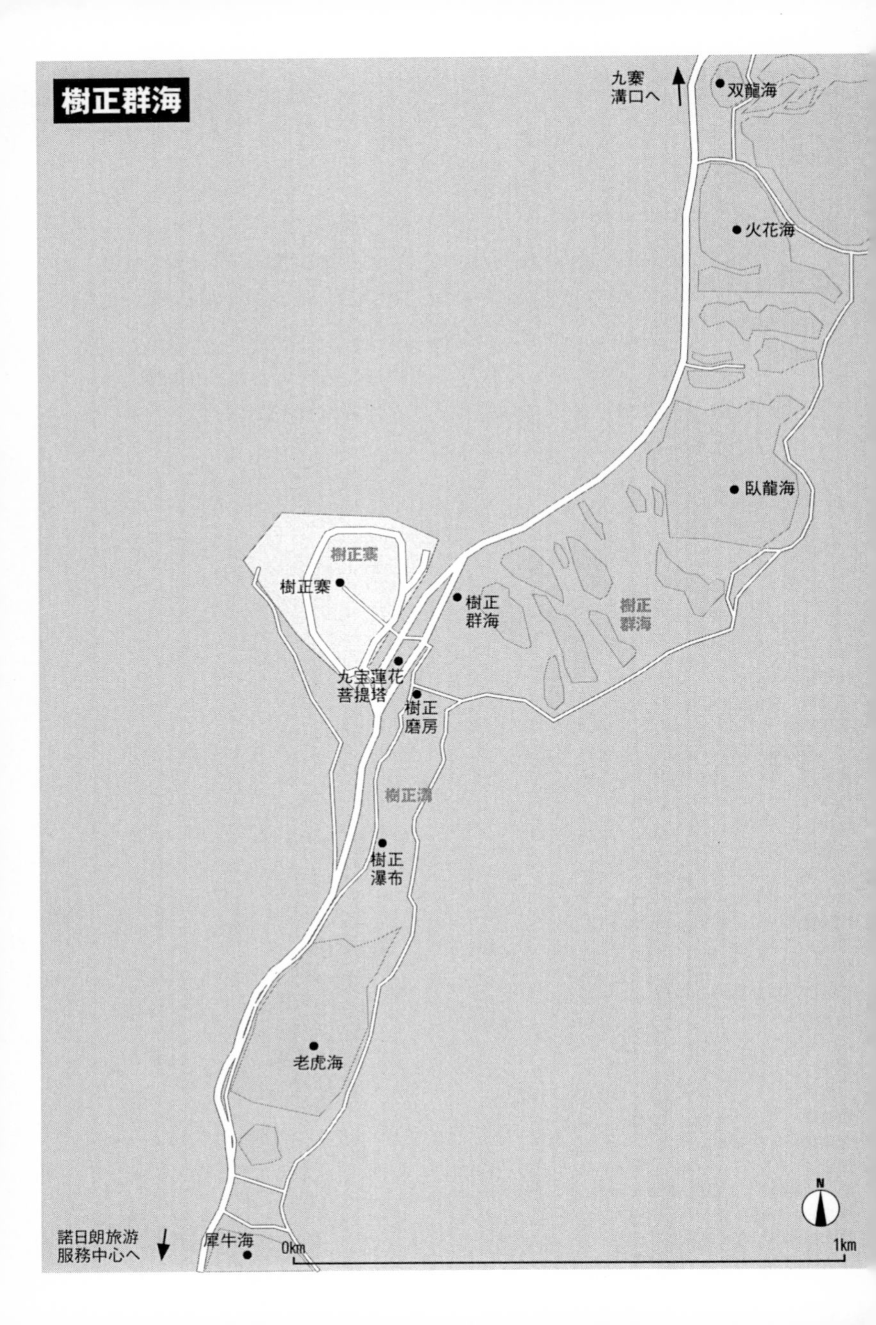
樹正群海
九寨
溝口へ
双龍海
火花海
臥龍海
樹正寨
樹正寨
樹正
群海
樹正
群海
九宝蓮花
菩提塔
樹正
磨房
樹正溝
樹正
瀑布
老虎海
犀牛海
諾日朗旅游
服務中心へ
0km
1km
N

盆景灘／盆景滩★☆☆

pén jǐng tān／ཕྱུལ་ལྗིངས་མཚོ་འགྲམ།

ぼんけいたん／ペンジィンタァン

水の流れる浅瀬のなか、シャクナゲ、松、ヒノキ、高山柳などの灌木が立つ盆景灘。その姿がまるで「盆景」のようであるから、盆景灘という（チベット語では「甲珠措」）。盆景灘の木々は水から栄養分をとり、流れる水の音も心地よい。

蘆葦海／芦苇海★☆☆

lú wěi hǎi／འདམ་རྩྭ་མཚོ།

ろいかい／ルウウェイハァイ

アシが群生するなか、清流が流れ、水鳥の飛ぶ蘆葦海（蘆葦とはアシのこと）。長さ1520m、幅124～186m、深さ3mの半湿地の湖が続く。とくに秋の黄金色にそまったアシを、風が揺らす姿は美しい。蘆葦海の標高は2192mになり、本来、アシは標高800m以上に生えるが、普通の種よりも高所で群生している。

★★★

樹正溝／树正沟 shù zhèng gōuシュウチェンゴォウ
樹正寨／树正寨 shù zhèng zhàiシュウチェンチャイ
樹正群海／树正群海 shù zhèng qún hǎiシュウチェンチュンハァイ

★★☆

火花海／火花海 huǒ huā hǎiフゥオフゥアハァイ
臥龍海／卧龙海 wò lóng hǎiウォオロォンハァイ
九宝蓮花菩提塔／九宝莲花菩提塔 jiǔ bǎo lián huā pú tí tǎジィウバオリィアンフゥアプウティタア
樹正瀑布／树正瀑布 shù zhèng pù bùシュウチェンプウブウ
老虎海／老虎海 lǎo hǔ hǎiラォオフウハァイ
犀牛海／犀牛海 xī niú hǎiシイニィウハァイ

★☆☆

双龍海／双龙海 shuāng lóng hǎiシュゥアンロォンハァイ
樹正磨房／树正磨房 shù zhèng mò fángシュウチェンモオファン

色嫫女神像／色嫫女神像★☆☆

sè mó nǚ shén xiàng／སྲིས་ལྷ་མོ་སྐུ།

しきもめがみぞう／セエモオニュウシェンシィアン

女神が岩壁に浮かびあがったように見える色嫫女神像。九寨溝創世神話では、達戈男神から色嫫女神に「風雲宝鏡」が送られたという。この鏡が地上に落ちて割れた破片で、九寨溝はできあがったと伝えられる。現在は日則溝に色嫫女神山がそびえる。

双龍海／双龙海★☆☆

shuāng lóng hǎi／འབྲུག་གཉིས་མཚོ།

そうりゅうかい／シュゥアンロォンハァイ

樹正群海から流れてくる水が集まる、長さ290m、幅47m、深さ3～９m（平均5.6m）の双龍海。双龍海の水底には、ふたつの石灰製の礁が帯状にたたずみ、それがまるで2匹の龍（双龍）のように見えることから双龍海と呼ぶ。風が吹いて水面を揺らせば、2匹の龍がまるで生きているように見える。標高2200m。

火花海／火花海★★☆

huǒ huā hǎi／མེ་སྟག་མཚོ།

ひばなかい／フゥオフゥアハァイ

朝、太陽の光が湖面にさすと、水面が火花を放って燃えているように見える火花海。それは太陽光の屈折作用によるものだといい、英語では「スパークリング・レイク」と呼ぶ。また水量の減る季節は、石灰質の黄色の円形沈殿岩がいくつも表面に現れ、島のように見えるため「千島湖」ともいう。長さ232m、幅134～294m、深さ16mで、周囲を森におおわれている。標高2211m。

九寨溝の華、樹正溝に点在する湖

2匹の龍が棲むという双龍海

九寨溝にある9つの集落を代表する樹正寨

アシの群生する蘆葦海

スパークリング・レイクこと火花海

臥龍海／卧龙海★★☆

wò lóng hǎi／གཉིད་མཚོ།

がりゅうかい／ウォオロォンハァイ

樹正群海へ続く標高2215m、深さ22mの臥龍海。臥龍海という名前は、湖の底に一筋の炭酸カルシウムの堆積物があり、それが水中にひそむ龍のように見えることから名づけられた（龍が横臥する海）。風が吹いて湖面を揺らすと、その波でまるで龍の身体が動き、頭と尾をふるように見える。この乳白色の堆積物は、炭酸カルシウムが凝結してできた。

臥龍にまつわる物語

九寨溝近く、岷山山脈上流域を流れる白河（白水江）には白龍が棲んでいて、一方、黒河には黒龍が棲んでいた。黒龍は毎年、九寨溝の民にうまい魚と美酒を送ることを求めた。苦しんだ民がこれに応じないと、黒龍は怒り、雨を降らすのをやめた。九寨溝の民は、井戸を掘り、運河をつくって難を逃れようとし、その姿に感動した白龍は雨を呼んで、雨を降らせようとした。白龍と、白龍のふるまいに怒った黒龍は9度戦い、ついに白龍が勝利し、白龍は樹正溝のなかの臥龍湖に棲むようになった。一方、九寨溝の人びとは白龍を家や門に飾るようになった。

樹正寨／树正寨★★★

shù zhèng zhài／ཤར་སྡོང་རི་ཤྲུ་ར།

じゅせいこう／シュウチェンチャイ

樹正溝のなかほど、渓流のほとりにたたずむチベット人集落の樹正寨。九寨溝の9つのチベット族の村を代表する集落で、この谷の政治、経済、文化の中心地でもある（祭りのときにはあたりの村から人びとが樹正寨を訪れる）。チベット様式の建築が立ち、門や窓枠にはチベット様式の意匠が見られる。また樹正寨には、チベット仏教の白色の九宝蓮花菩提塔が立つ。

チベット式の九宝蓮花菩提塔

樹正溝ではチベット料理をとることもできる。

九寨溝集落の風景

チベット仏教と土着のボン教の混淆した世界の広がる九寨溝。チベット仏教の仏塔「チョルテン」は、もともとは仏舎利を入れるものだったが、やがて信仰対象そのものとなった。小さな旗のはためく経幡「タルチョ」には、天幕のうえに『陀羅尼経』が刻まれていて、赤は太陽、黄色は大地、緑は生きもの、白は月、青は海を意味する。寺院や住居と外部は、タルチョのついた神縄で結ばれ、幸福はこの縄を伝わって入り、災いは去っていくという。また道ばたや交差点で積みあげられた石の山は「マニ堆」といい、大小の石に仏像や仏典が刻まれている。経文を入れた筒の転経は「マニ車」といい、一度まわすと100度お経を唱えたのと同じ効果があるという。九寨溝では、樹正磨房をはじめ、小さな滝や流れを利用して穀類を粉にしたり、マニ車をまわすといった光景も見られる。九寨溝の民家はチベット風で、1階は家畜、じゃがいも、大根などを保管し、2階に家族が暮らし、3階には穀物や農具を保管する。建物の壁面に見える「卍」は吉祥如意の象徴で、魔よけでもある。

九宝蓮花菩提塔／九宝莲花菩提塔★★☆

jiǔ bǎo lián huā pú tí tǎ／རིན་ཆེན་དཀར་མཆོད་རྟེན།

きゅうほうれんげぼだいとう／ジィウバオリィアンフゥアプウティタア

樹正寨に立つ、一列にならんだ９つの白い仏塔群の九宝蓮花菩提塔。ひとつの塔が九寨溝に点在する9つの寨（九寨）それぞれをさし、樹正寨をはじめとするチベット族集落の繁栄、幸福が祈願されている。元代の散曲『秋思』「枯藤老樹昏鴉、小橋流水人家」（橋、流れる水、人家が詠われ、九寨溝を思わせる）の文言も見える。

九寨溝で信仰されているボン教

アバ･チベット族チャン族自治州北東部に暮らすチベット族のあいだでは、チベット仏教の伝来以前からあった土着のボン教が信仰されている。8～9世紀ごろ、チベット高原でチベット仏教が勢いを増すと、ボン教はチベット仏教に吸収されたが、そのときボン教徒は東にうつり、ボン教がこの地で保存されたという。ボン教では日、月、湖、川、山、星、鳥、獣といったあらゆるものに霊が宿るとされ、また宇宙には天上の神、中間の人間、悪魔がいて、最後には神が勝つという（中央アジアのアニミズム、シャーマニズム的要素を残す）。ボン教は、古来のままでは存在できなくなったことから、教義や信仰の形式をチベット仏教から借り、やがて仏教と形態が類似していった。一見、両者の見わけはつかないが、チベット仏教徒が右まわりで僧院をまわるのに対して、ボン教徒は反対に左まわりでまわる。インド起源のチベット仏教に対して、ボン教はイラン起源を主張する。九寨溝から遠くない黄龍風景区にそびえる標高5588mの雪宝頂は、ボン教の聖山として信仰対象となっている。

樹正磨房／樹正磨房★☆☆

shù zhèng mò fáng／བདསྟོངབཛརཁང།

じゅせいまぼう／シュウチェンモオファン

樹正磨房は、樹正寨の外、樹正群海のほとりに立つ小屋。磨坊とは「製粉所」のことで、ここで大麦や小麦、とうもろこしを製粉する（たとえば、チベット人の主食ツァンパをつくるため、大麦を臼にかけて粉にする）。その動力源となっているのが樹正群海を流れていく水の力で、同様の力を利用した銅製のマニ車も見られる。樹正磨房そばから樹正群海を横切る長い桟橋がかかっている。

犀牛海近くの流れ、水の音が心地よい

複数の海子が身を寄せあうような樹正群海

樹正群海の奥に位置する老虎海、おだやかな湖面

青からエメラルドグリーンへ湖面は変化していく

樹正群海／树正群海★★★

shù zhèng qún hǎi／ཞིང་སྔོན་མཚོ་ཚོགས།

じゅせいぐんかい／シュウチェンチュンハァイ

翡翠の宝石のような「海子(湖)」がつらなり、段々畑(階段状)のような特異な景観をつくる樹正群海。より上流の海子の堤防から水があふれだし、次から次へと水は姿を変えながらくだっていく。樹正群海は広義には周囲の「蘆葦海」「双龍海」「臥龍海」「火花海」「樹正瀑布」「諾日朗瀑布」をあわせ、全長13.8㎞、40あまりからなる。これらの湖群は、九寨溝の湖の40％をしめ、標高2187～2280mで展開する。樹正瀑布のつくる急流のほとりではマニ車(水転経)をそなえた木造の小屋がいくつか見られ、それらは九寨溝の水の流れで、1日中まわり続ける。

樹正瀑布／树正瀑布★★☆

shù zhèng pù bù／ཞིང་སྔོན་ཆབ་བབས།

じゅせいばくふ／シュウチェンプウブウ

樹正寨の近くに位置する、高さ25mの樹正瀑布。頂部の幅は72mで、勢いよく水が落ちていく。凸状の岩が水をわけ、流れは無数にちらばって落ちていき、水は下へ下へと流れる。標高2295mで、九寨溝の瀑布では小さい部類に入る。

老虎海／老虎海★★☆

lǎo hǔ hǎi／སྟག་མཚོ།

ろうこかい／ラォオフウハァイ

樹正瀑布の上部、標高2298mにたたずむ長さ310m、幅171～194mの老虎海。深さは25mほどになり、九寨溝の水が少なくなる冬でも豊富な水量をたもつ。老虎海という名称は秋になると周囲の山が染まり、それが虎のまだらのように湖に映すからという説、近くの樹正瀑布の轟音が、虎の咆哮のように聞こえるからだという説、山中の虎がこの湖の水を好んで飲みに来るからだという説がある。

犀牛海／犀牛海★★☆

xī niú hǎi／བསེ་མཚོ།

さいぎゅうかい／シイニィウハァイ

九塞溝で2番目に大きな海子で、「衆海之冠」と呼ばれる犀牛海(樹正溝でもっとも大きい)。長さ2000m、幅216～225mの湖は、深さ17mで、深いところは40mになるという。犀牛海の北岸はアシが群生し、中央は美しい青色の水、南側は銀の滝というように、変化に富んだ景色が見られる。犀牛海という名前の由来にはふたつの説がある。不治の病にかかったチベット人僧侶がサイに乗ってここまでやってきて、この湖の水を飲むと症状がよくなり、毎日、飲みにくるうちに、この地に住み着いたというもの。もうひとつはチベット族の王子がサイに乗ってやってきて、この海子の景観の美しさに心奪われ、サイとともに湖に入り、そのまま湖中の神になったというもの。標高2301m。

達戈男神山／达戈男神山★☆☆

dá gē nán shén shān／སྟག་མགོ་ཕོ་ལྷ་རི།

たっかだんしんさん／ダアガアナンシェンシャン

色嫫女神山と対置するように鎮座する標高4110mの達戈男神山。達戈男神は、風と雲で磨きあげた「風雲宝鏡」を恋する色嫫女神に送った、という九寨溝創世神話に登場する。達戈男神は色嫫女神とともに緑宝石を飲み込んで、ともにこの地で山となったという。

Utsukushiki Shinwa Ni

美しき神話に彩られて

桃源郷をも思わせる九寨溝
この特異な景観に人びとは想いをめぐらせ
美しい創世神話が生み出された

達戈と色嫫の恋物語

まばゆいばかりに輝く湖群がどのようにして生まれたのか、次のような九寨溝創世神話が伝わっている。神々の暮らす天界で、達戈男神は風と雲で磨きあげた「風雲宝鏡」を恋する色嫫女神に送った。しかし、色嫫女神は悪魔のいたずらを受け、その鏡を天界から落としてしまった。地上に落ちた「風雲宝鏡」は砕け散り、114の青く澄んだ湖になった。こうして九寨溝の海子(湖)が生まれた。現在、ふたりの神さまは達戈男神山と色嫫女神山として、対峙するように九寨溝の樹正溝と日則溝に鎮座し、地元のチベット族から信仰を受けている。

九寨溝を見守る達戈男神山と色嫫女神山

九寨溝に棲むふたりの神さまの達戈男神と色嫫女神は、恋仲にあった。ある年、雪山王が九寨溝の山林や湖を破壊してしまったので、達戈男神は雪山王のもとに行って、山林を美しい姿に戻す力を秘めた緑宝石を求めた。雪山王はひそかに毒を入れたスープを達戈男神に飲ませ、色嫫女神のことを忘れさせ、自分の娘と結びつけようとした。しかし、色嫫女神の涙が、達戈男神を目覚めさせ、雪山王が仕返しをする前に、ふたりは緑宝石を飲み込んで両座の山となった。以来、このふたつの山は九寨溝の海子や森林を守り、九寨溝はいつまでも美しい姿をたもつようになった。人びとは達戈男神山と色嫫女神山に感謝し、礼拝を捧げるようになった。

妖魔を倒した9人の娘

大山の神には9人の娘がいたが、外の世界の危険を恐れて、自らが外出する際には鍵をかけて、娘たちが出られないようにしていた。そこで、長女が小さな虫に化け、父の身体について鍵の開けかたを学んだ。そして、ある日、門を開けて、蝶に化けた妹たちと外に飛び出し、九寨溝あたりの12の雪山の上空を飛んでいた。すると峡谷には動物や人が倒れていて、妖魔が12の雪山とその地の渓流に毒を入れたことを知った。娘たちは9匹の龍と化して西に飛び、自らの叔父に会うと、叔父は万宝金針と緑宝石を娘たちに与えた。9人の娘は叔父の助けもあって、ついに妖魔を倒し、駆けつけた父親に「ここに残って、山河を再建したい」とお願いした。父はそれを許し、娘たちが緑宝石を12の雪山にまくと、青々とした森林や河川はよみがえった。そして、それぞれ9人のチベット族の男子と結婚して、9つの集落が形成されたという。こうして、この地は九寨溝となった。

九寨溝の「発見」

九寨溝県は長らく南坪県の名前で知られ、清代に編纂された『松潘県志』には「(南坪の)中羊峒のなかに翠海がある」という記録が残る。しかし、この美しい翠海(九寨溝の湖群)を知るのは地元民のみで、ほとんど世間に知られることなく、山間にたたずんでいた。1960年代まで、九寨溝には馬道(馬の歩く道)と山間の小道しか通じておらず、地元のチベット族は自給自足の日々を送り、めったに外部と往来しなかった。

パンダ海の冬、パンダの雪だるまがつくられていた

他ではなかなか見ることのできない湖の青さ

114に砕け散った風雲宝鏡が湖になった

柱にチベット文字が記されている

1960年代からこの地の森林伐採が進み、1970年代に森林伐採者によって九寨溝の湖群が偶然「発見」された。1978年、九寨溝の森林伐採が禁じられ、自然の保護と観光地化がはじまり、1992年には世界自然遺産に登録された。

Ze Zha Wa Gou

則査窪溝鑑賞案内

九寨溝のおへそにあたる諾日朗
そこから南東奥に向かって伸びる則査窪溝には
長海や五彩池などの海子がたたずんでいる

則査窪溝／则查洼沟★★☆
zé zhā wā gōu／ཚེ་ཁ་རྒྱ་སྒོ།
そくさわこう／ゼェチャアワアゴォウ

長いときをかけてつくられた逆Y字型の九寨溝の渓谷。則査窪溝はその中心から南東に伸び、渓谷の入口付近の則査窪寨から17㎞続く。最奥にある長海まで徐々に標高があがっていき、標高差1000mをのぼった先に標高3060m、「九寨溝最大の湖」である長海が位置する。則査窪溝には海子(湖)がそれほど多くないが、美しく、この世の仙境とたたえられる。

則査窪寨／则查洼寨★★☆
zé zhā wā zhài／ཚེ་ཁ་བ་བཙན་རྫོང་
そくさわさい／ゼェチャアワアチャイ

諾日朗旅游服務中心から長海まで続く則査窪溝の入口付近に立つ則査窪寨。チベット族が暮らし、この地をおさめた蔵家土司楼はじめ、蔵王閣、蔵家楼、民族楼などが位置する。

長海／长海★★★
zhǎng hǎi／མཚོ་རིང་མོ།
ちょうかい／チャンハァイ

九寨溝の最奥部にあり、もっとも標高(3060m)が高く、

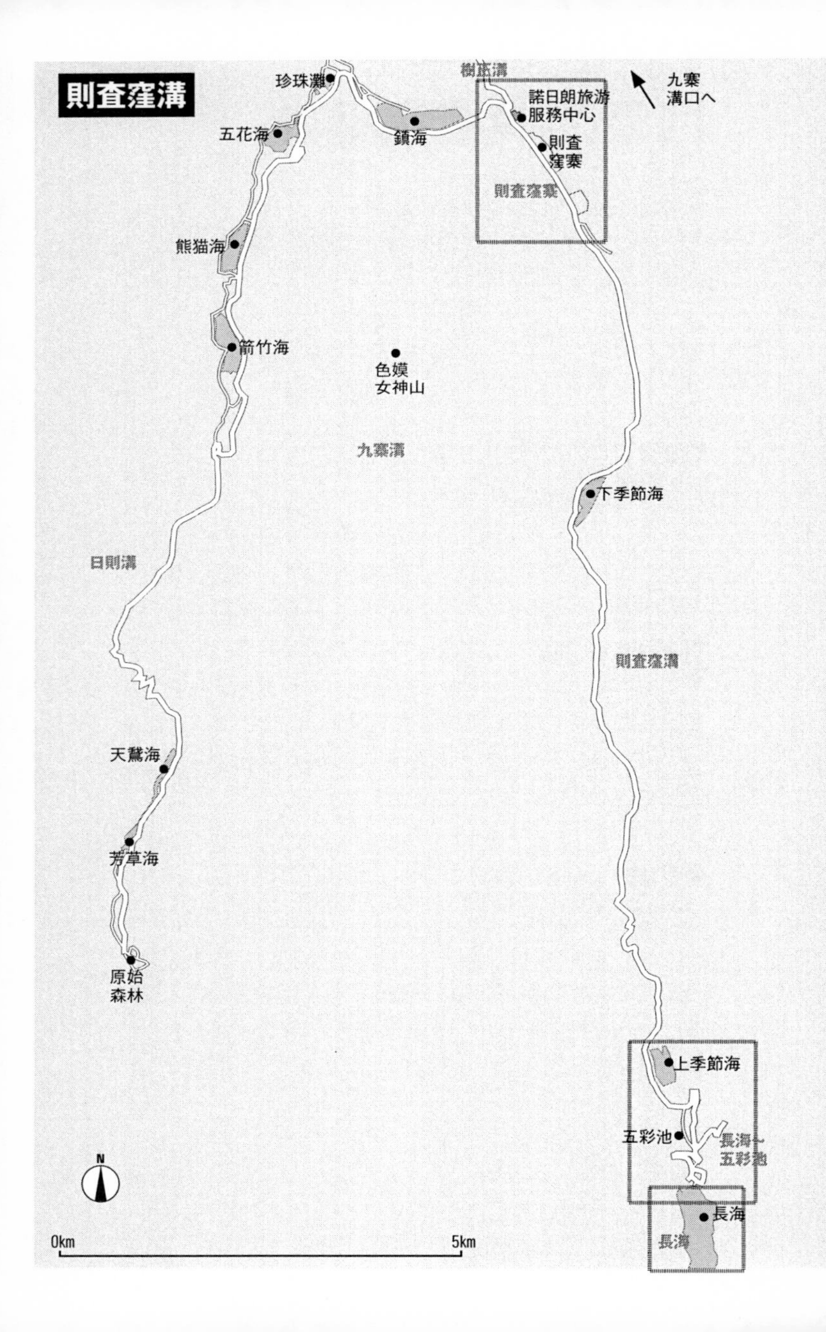

則査窪溝
珍珠灘
樹正溝
九寨
溝口へ
諾日朗旅游
服務中心
五花海
鎮海
則査
窪寨
則査窪寨
熊猫海
箭竹海
色嫫
女神山
九寨溝
下季節海
日則溝
則査窪溝
天鵞海
芳草海
原始
森林
上季節海
五彩池
長海～
五彩池
長海
長海
N
0km
5km

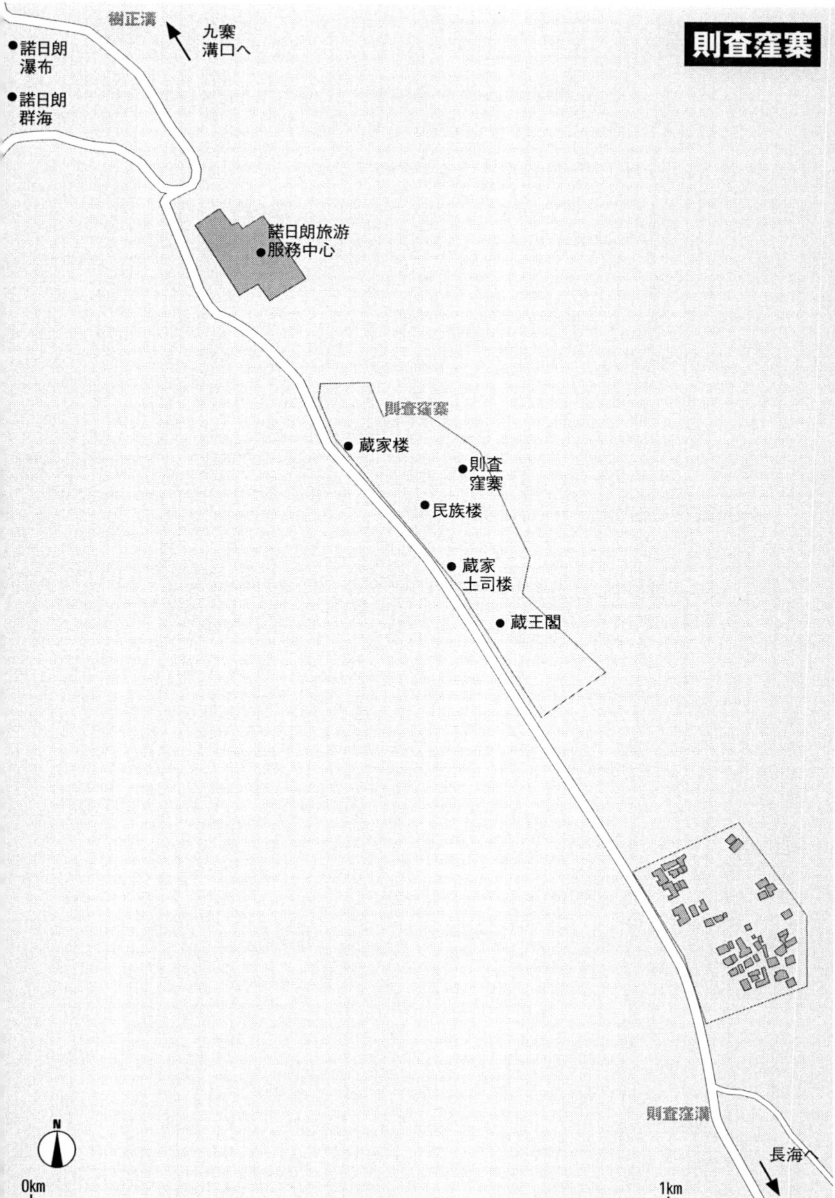

則査窪寨

樹正溝

九寨溝口へ

諾日朗瀑布

諾日朗群海

諾日朗旅游服務中心

則査窪寨

蔵家楼

則査窪寨

民族楼

蔵家土司楼

蔵王閣

則査窪溝

長海へ

N

0km

1km

もっとも湖が広い海子の長海。入口に近い北側から見ると、S字状(ひょうたん状)に湖が奥に続いていき、長さ5km、最大幅は600mになる。長海にはひとつの言い伝えがあり、この湖には水の出るところがないが、夏と秋の雨期でも水があふれず、冬と春は乾燥しているが、かれることもない。そのため地元のチベット族からは「宝のひょうたん」と呼ばれている。長海は渓谷の頂にあり、周囲を雪でおおわれた4000m級の山々にとり囲まれている。これら高山で発生した氷河が、谷底に向かってゆるやかに流れ出す過程で長海は形成された。氷河運動による堰止湖であり、長海付近には第四紀氷河の遺構も残っている。青い空と、白い雲、雪を頂く高山、清浄な空気といった九寨溝を代表する景観をつくる。

九寨溝の地理、4000m級の山々

四川省西部の山岳地帯は、西のチベット高原へと連なり、

★★★
長海／长海 zhǎng hǎiチャンハァイ
五彩池／五彩池 wǔ cǎi chíウウツァイチイ
諾日朗瀑布／诺日朗瀑布 nuò rì lǎng pù bùヌゥオリイラァンプウブウ
五花海／五花海 wǔ huā hǎiウウフゥアハァイ
樹正溝／树正沟 shù zhèng gōuシュウチェンゴォウ

★★☆
則査窪寨／则查洼寨 zé zhā wā zhàiゼェチャアワアチャイ
日則溝／日则沟 rì zé gōuリイゼエゴォウ
諾日朗群海／诺日朗群海 nuò rì lǎng qún hǎiヌゥオリイラァンチュンハァイ
鏡海／镜海 jìng hǎiジィンハァイ
珍珠灘／珍珠滩 zhēn zhū tānチェンチュウタァン
熊猫海／熊猫海 xióng māo hǎiシィオンマオハァイ
原始森林／原始森林 yuán shǐ sēn línユゥエンシイセンリィン

★☆☆
上季節海／上季节海 shàng jì jié hǎiシャンジイジエハァイ
下季節海／下季节海 xià jì jié hǎiシィアジイジエハァイ
諾日朗旅游服務中心／诺日朗旅游服务中心 nuò rì lǎng lǚ yóu fú wù zhōng xīnヌゥオリイラァンリュウヨウフウウチョンシィン
箭竹海／箭竹海 jiàn zhú hǎiジィエンチュウハァイ
天鵞海／天鹅海 tiān é hǎiティエンオオハァイ
芳草海／芳草海 fāng cǎo hǎiファンツァオハァイ
色嫫女神山／色嫫女神山 sè mó nǚ shén shānセエモオニュウシェンシャン

チベットと漢族の様式が融合した建築がならぶ則査窪寨

4000m級の山々に囲まれた長海

長海は九寨溝でもっとも高い標高3060mに位置する

色とりどりという意味の五彩池、美しい

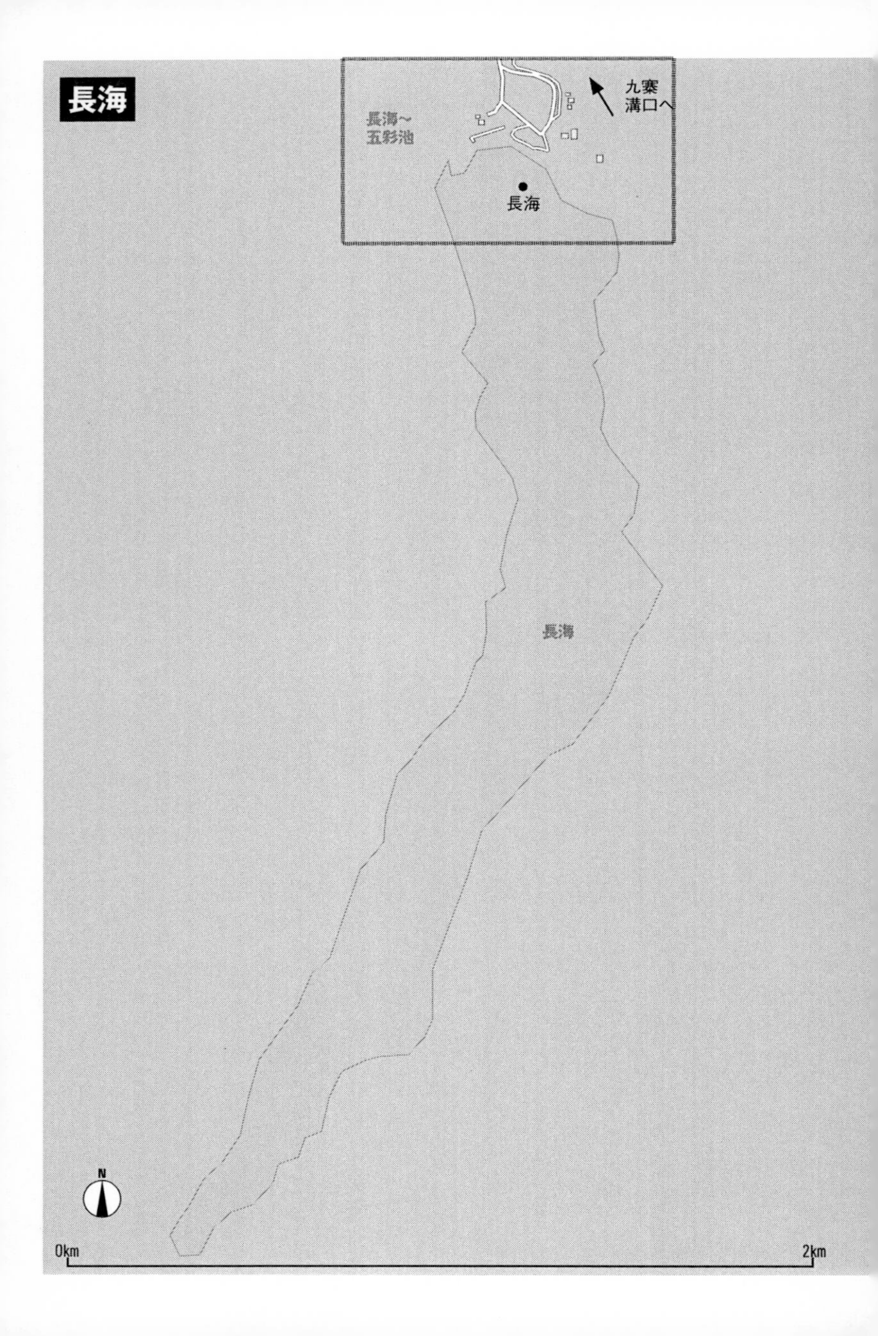
長海
長海～
五彩池
九寨
溝口へ
長海
長海
0km
2km
N

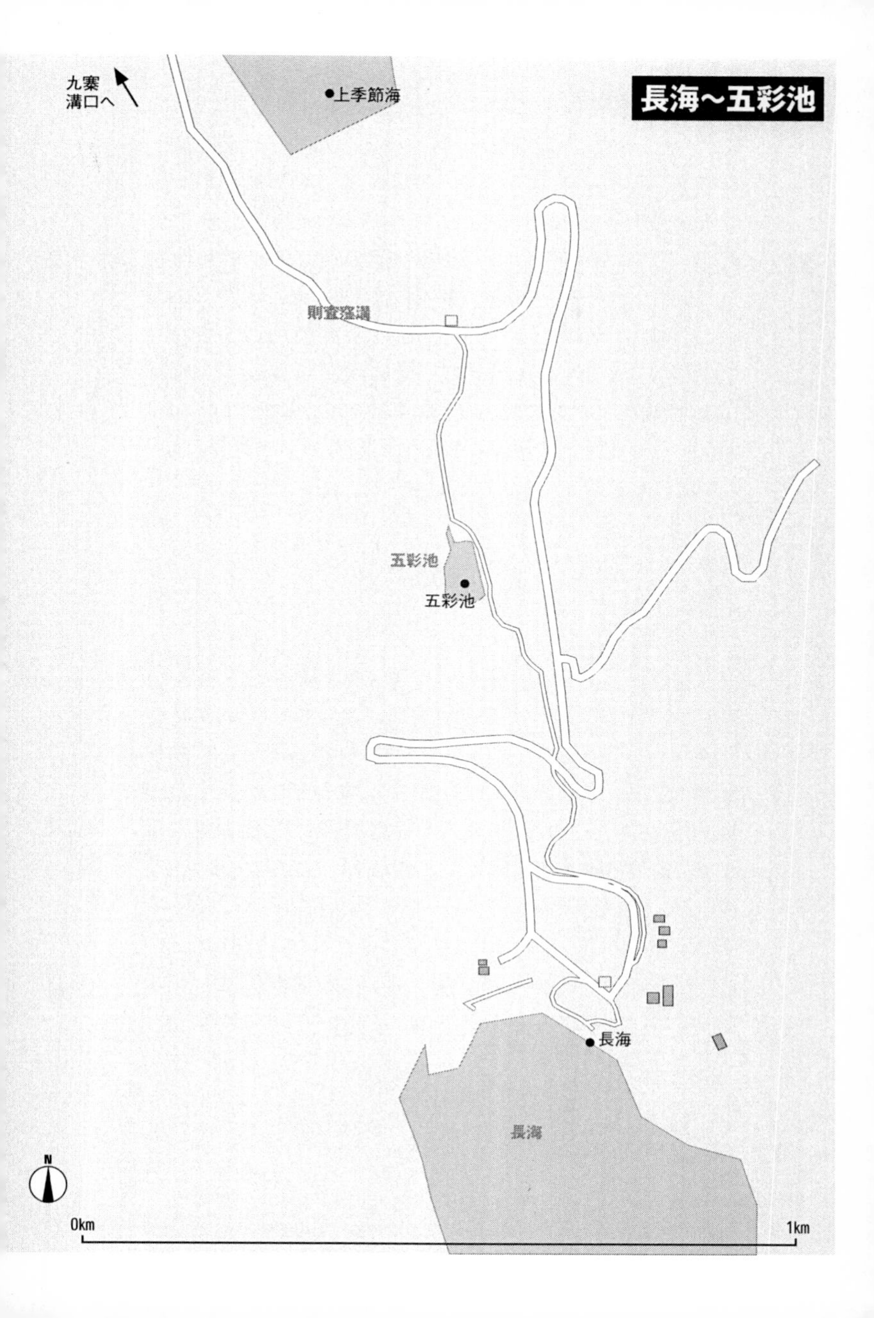
長海～五彩池
九寨
溝口へ
上季節海
則査窪溝
五彩池
五彩池
長海
長海
N
0km
1km

九寨溝一帯は、チベット側から見ればアムドにあたる(アムドの東端)。一方、西周以来、この地方の古代チベット族は、中国側からは「西戎」と認識されていた。また九寨溝を流れる白水江(白河)は南に流れる長江水系だが、近くの黒河は北に流れる黄河水系で、両者にとってのはざまの地域になってきた。九寨溝は甘粛省南部から四川省北西部にかけて南北に走る岷山山脈の南、弓杆嶺の東北に位置し、周囲は4000m級の12の雪山に囲まれている。そのうち、標高4440mの扎依扎嘎神山、標高4558mの幹孜公蓋山、標高4136mの色嫫女神山、標高4110mの達戈男神山、標高4500mの神女峰、標高4400mの万山之山が代表的なもので、いずれも霊性をもち、九寨溝に生きる人たちの信仰対象となってきた。

五彩池/五彩池★★★

wǔ cǎi chí/མདོག་ལྔ་རྫིང་བུ།

ごさいち/ウウツァイチイ

　九寨溝屈指の美しい水と鮮やかな色彩をもち、「九寨之眼」と言われる五彩池(日則溝の五花海とならんでもっとも美しい湖にあげられる)。長海の1㎞下にあり、標高2995mで、地下で長海とつながっており、冬でも凍結せず、安定した水量を見せる。もっとも小さな海子(湖)だが、透明度が高く、深さ6.6mの小石や堆積物まで見通すことができる。五彩池という名称は、太陽の光がアオミドロ、藻類などの水生植物にあたって、水の色が5色に見えることで名づけられた(同様の名称をもつ湖群が黄龍にある)。また、この五彩池は九寨溝創世神話に登場する色嫫女神が入浴する場所だと言われ、達戈男神は女

★★★

長海/长海 zhǎng hǎiチャンハァイ

五彩池/五彩池 wǔ cǎi chíウウツァイチイ

★★☆

則査窪溝/則查洼沟 zé zhā wā gōuゼェチャアワアゴォウ

★☆☆

上季節海/上季节海 shàng jì jié hǎiシャンジイジエハァイ

神のために毎日、長海から水を運んだ。そして愛の水で沐浴した女神の顔に表れた頬紅は五彩に輝いたという。五彩池そばの189段の階段は、達戈男神が残したものだと言われ、五彩池から189段の階段を登ると「想いを遂げたい人との愛は成就する」と伝えられる。

どこまでも透明な奇跡の水

九寨溝の海子(湖)は、他に類がないほど透明度が高く、湖中の倒木が傷まずに沈んでいるところまで見える。こうした透明な水は、九寨溝が太古の地殻変動と、氷河の活動によってつくられたカルスト地形であることに由来する(石灰岩の成分となる炭酸カルシウムをふくんだカルスト渓谷の地形)。九寨溝の海子の水は、高濃度の炭酸カルシウムをふくみ、浄化(濾過)された水は透明度が高く、石灰質の成分が木や泥に付着した状態で沈んでいる。石灰質の湖底には、いくつかの異なる水生植物が生え、それぞれの葉緑素(クロロフィルル)の量に差があることから、同じ湖のなかでも場所によって色が異なり、湖が色を変化させるように見える。

上季節海／上季节海★☆☆

shàng jì jié hǎi／དབྱར་དབྱིད་མཚོ།
じょうきせつかい／シャンジイジエハァイ

五彩池の下に隣接する上季節海。季節海という名前は季節によって水量が変化することにちなみ、上・中・下の季節海は距離が離れている。上季節海の夏の水量は少なく水は緑色、秋には水が増えて湖は青く、冬はひあがり湖底は草でおおわれる。

下季節海／下季节海★☆☆

xià jì jié hǎi／སྟོན་དུས་དགུན་དུས་མཚོ

かきせつかい／シィアジイジエハァイ

上季節海に対応する下季節海もまた、季節によって水量が変わることから名づけられた。秋には豊かな水量と鮮やかな青色の湖面を見せるが、冬になると水量が低下し、夏になるまで湖の水は乾燥している。上季節海とは、距離が離れている。

Ri Ze Gou

日則溝鑑賞案内

九寨溝観光の拠点となる諾日朗旅游服務中心
そこから西に伸びていく日則溝
鏡海、五花海、熊猫海などの海子が位置する

日則溝／日則沟★★☆

rì zé gōu／རི་རྫེ་རི་ཁུག།
じっそくこう／リイゼエゴォウ

逆Y字型の九寨溝の中心にあたる諾日朗瀑布から、南西にさかのぼっていく渓谷を日則溝と呼ぶ。「諾日朗瀑布」「鎮海」「珍珠灘」「熊猫海」「箭竹海」といった滝や浅瀬を流れる水、海子が見られ、南端の「原始森林」はアバ・チベット族チャン族自治州の原初の状態をよく残しているという。日則溝は「九寨溝の精華」とも言われ、次々に海子(湖)が現れる。

諾日朗旅游服務中心／诺日朗旅游服务中心★☆☆

nuò rì lǎng lǚ yóu fú wù zhōng xīn／ནོར་གླིང་གསོལ་ ལྷ་སྐོར་ཞབས་ཞུ་ལྟེ་གནས་
だくじつろうりょゆうふくむちゅうしん／ヌゥオリイラァンリュウヨウフウウウチョンシィン

入口から伸びてくる樹正溝が、南東方面の則査窪溝と、南西方面の日則溝へ枝わかれするちょうどへその部分に立つ諾日朗旅游服務中心。3つの方面(溝)に道が続くことから、九寨溝観光にあって格好の休憩所、観光拠点となっている。地元チベット族のものをあつかう土産物店やレストランが入居する。

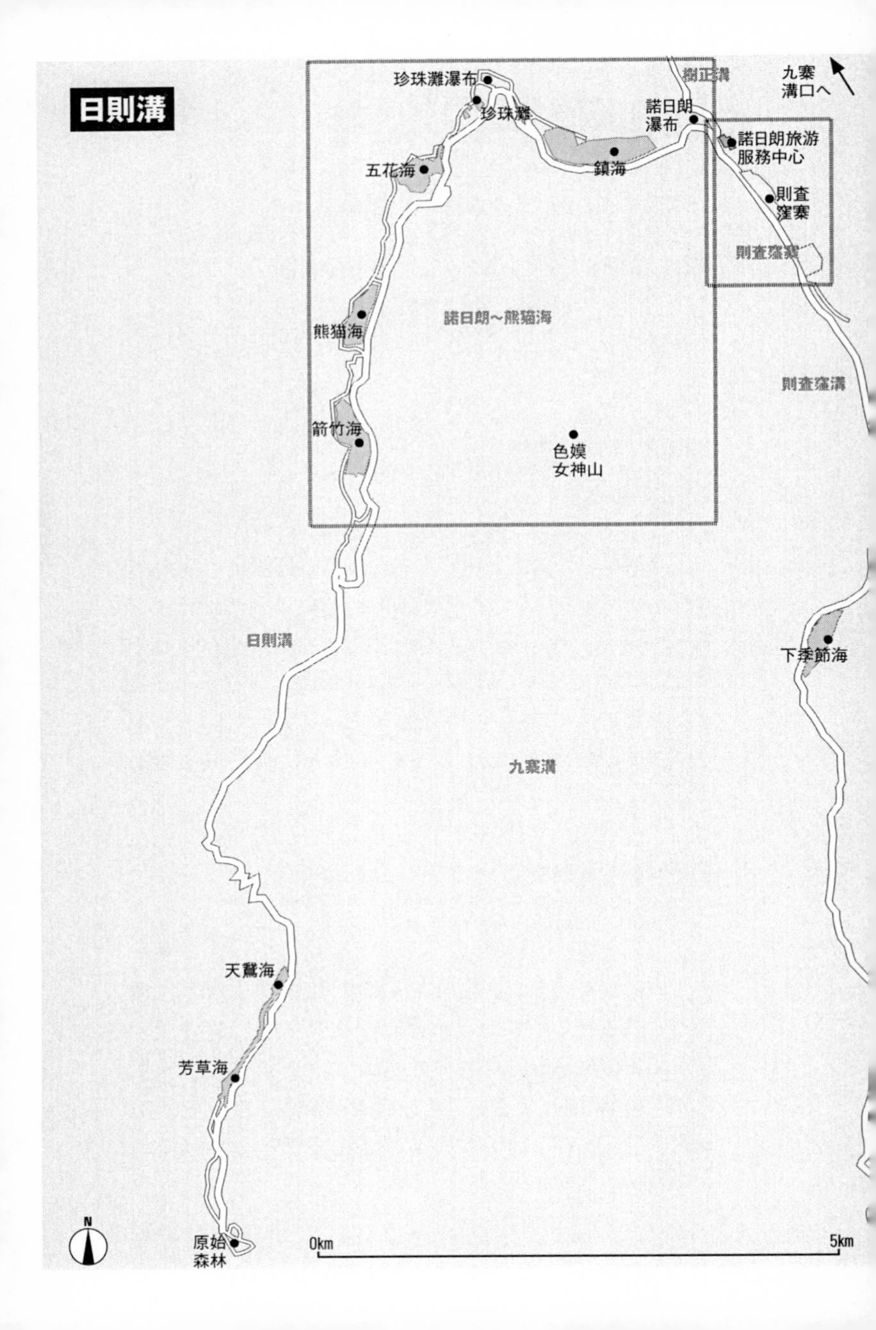
日則溝
珍珠灘瀑布
珍珠灘
樹正溝
九寨
溝口へ
諾日朗
瀑布
諾日朗旅游
服務中心
五花海
鏡海
則査
窪寨
則査窪寨
諾日朗～熊猫海
熊猫海
則査窪溝
箭竹海
色嫫
女神山
日則溝
下季節海
九寨溝
天鵞海
芳草海
N
原始
森林
0km
5km

諾日朗瀑布／诺日朗瀑布★★★

nuò rì lǎng pù bù／ནོར་གླིང་ཆུ་རྦབ།

だくじつろうばくふ／ヌゥオリイラァンプウブウ

逆Y字型を描く九寨溝の渓谷の中心に位置する諾日朗瀑布。諾日朗とはチベット語で男性神のことで、瀑布の様子通り「雄大、壮観」を意味する。高さ24.5mから落ちる壮大な滝で、320mという幅は九寨溝で最大であるばかりでなく、中国最大の高山瀑布でもある(標高2365m)。上部から水の流れは無数にわかれて崖を落ち、滝壺では水しぶきが勢いよく飛び散っている。諾日朗瀑布の全貌を見るためには滝から離れなくてはならないため、近くには観景台が立つ。またこの滝は、年に0.22mの速度で上流に後退していて、侵食作用が進行するとやがて崖が消失すると考えられている。

★★★

諾日朗瀑布／诺日朗瀑布 nuò rì lǎng pù bùヌゥオリイラァンプウブウ

珍珠灘瀑布／珍珠滩瀑布 zhēn zhū tān pù bùチェンチュウタァンプウブウ

五花海／五花海 wǔ huā hǎiウウフゥアハァイ

樹正溝／树正沟 shù zhèng gōuシュウチェンゴォウ

★★☆

日則溝／日则沟 rì zé gōuリイゼエゴォウ

鏡海／镜海 jìng hǎiジィンハァイ

珍珠灘／珍珠滩 zhēn zhū tānチェンチュウタァン

熊猫海／熊猫海 xióng māo hǎiシィオンマオハァイ

原始森林／原始森林 yuán shǐ sēn línユゥエンシイセンリィン

則査窪溝／则査洼沟 zé zhā wā gōuゼェチャアワアゴォウ

則査窪寨／则査洼寨 zé zhā wā zhàiゼェチャアワアチャイ

★☆☆

箭竹海／箭竹海 jiàn zhú hǎiジィエンチュウハァイ

天鵞海／天鹅海 tiān é hǎiティエンオオハァイ

芳草海／芳草海 fāng cǎo hǎiファンツァオハァイ

色嫫女神山／色嫫女神山 sè mó nǚ shén shānセエモオニュウシェンシャン

下季節海／下季节海 xià jì jié hǎiシィアジイジエハァイ

諾日朗旅游服務中心／诺日朗旅游服务中心 nuò rì lǎng lǚ yóu fú wù zhōng xīnヌゥオリイラァンリュウヨウフウウウチョンシィン

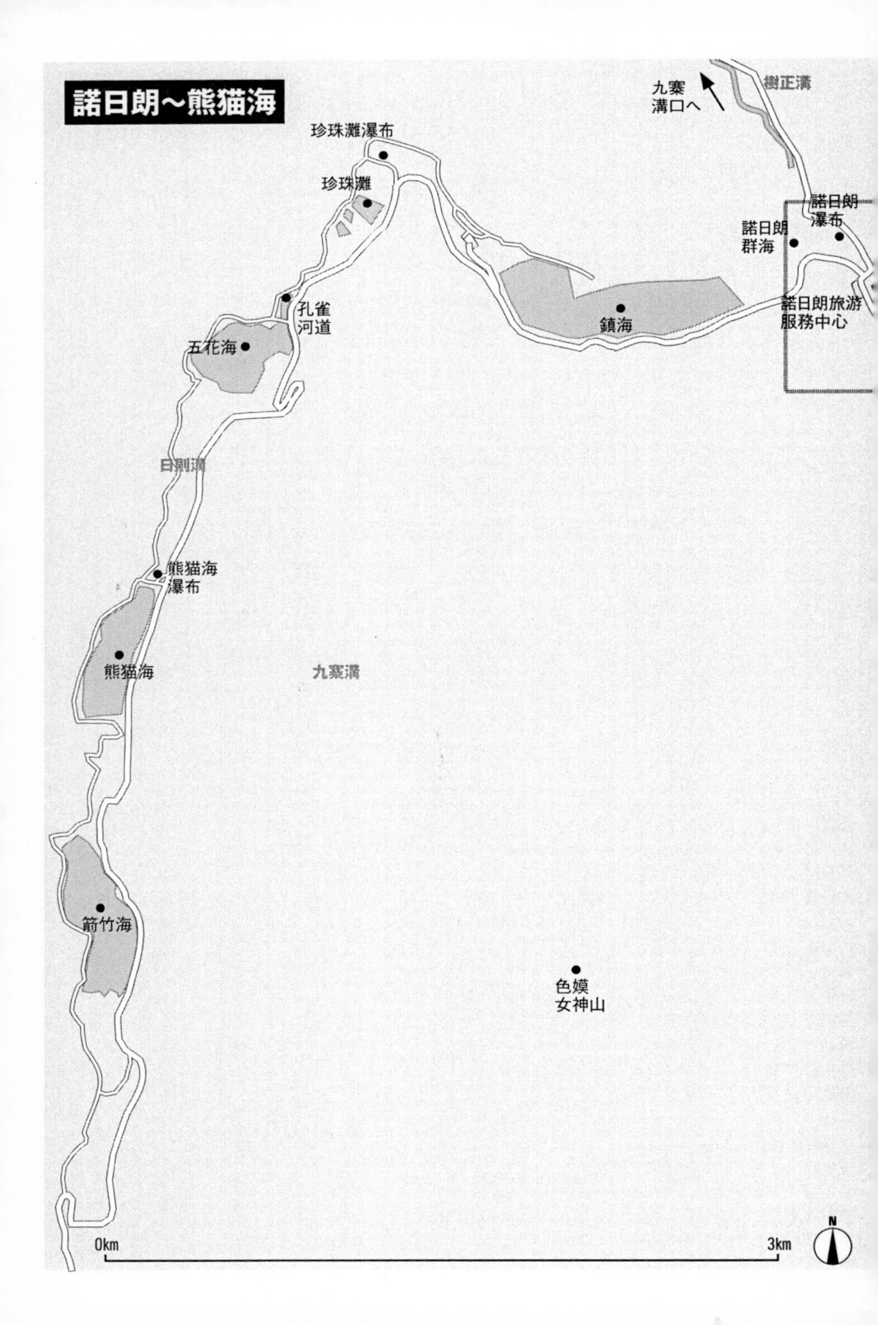
諾日朗～熊猫海
九寨
溝口へ
樹正溝
珍珠灘瀑布
珍珠灘
諾日朗
瀑布
諾日朗
群海
孔雀
河道
鎮海
諾日朗旅游
服務中心
五花海
日則溝
熊猫海
瀑布
熊猫海
九寨溝
箭竹海
色嫫
女神山
0km
3km
N

諾日朗群海／诺日朗群海★★☆

nuò rì lǎng qún hǎi／ནོར་གླིང་མཚོ་ཚོམས།

だくじつろうぐんかい／ヌゥオリイラァンチュンハァイ

大小18の海子（湖）がびっしりと集まってならぶ諾日朗群海。標高2592m、両側を高い山に囲まれるなか、水は海子から海子へと流れていく。春の柳、秋の紅葉、冬の雪景色というように四季折々の美しさを見せ、諾日朗群海は下流の諾日朗瀑布へ続く。

鏡海／镜海★★☆

jìng hǎi／མེ་ལོང་མཚོ།

きょうかい／ジィンハァイ

青い空、白い雲、雪をいただく高山を、鏡のように湖面に映すことから名づけられた鏡海。穏やかな湖面は、東西に伸び、長さ1155m、幅123m～241mになる（深さ31m）。とくに風のない晴れた日の午前9時と午後5時ごろ、湖面の水は鏡のようで、水のなかを飛ぶ鳥、雪のなかを泳ぐ魚が見られる。この実物と、水中に投影されたものがわからなくなる鏡海の景観を「倒影勝実景」と呼ぶ。また春に小雨が降って水の

★★★

諾日朗瀑布／诺日朗瀑布 nuò rì lǎng pù bùヌゥオリイラァンプウブウ

珍珠灘瀑布／珍珠滩瀑布 zhēn zhū tān pù bùチェンチュウタァンプウブウ

五花海／五花海 wǔ huā hǎiウウフゥアハァイ

樹正溝／树正沟 shù zhèng gōuシュウチェンゴォウ

★★☆

日則溝／日则沟 rì zé gōuリイゼエゴォウ

諾日朗群海／诺日朗群海 nuò rì lǎng qún hǎiヌゥオリイラァンチュンハァイ

鏡海／镜海 jìng hǎiジィンハァイ

珍珠灘／珍珠滩 zhēn zhū tānチェンチュウタァン

熊猫海／熊猫海 xióng māo hǎiシィオンマオハァイ

★☆☆

諾日朗旅游服務中心／诺日朗旅游服务中心 nuò rì lǎng lǚ yóu fú wù zhōng xīnヌゥオリイラァンリュウヨウフウウウチョンシィン

孔雀河道／孔雀河道 kǒng què hé dàoコォンチゥエハアダァオ

熊猫海瀑布／熊猫海瀑布 xióng māo hǎi pù bùシィオンマオハァイプウブウ

箭竹海／箭竹海 jiàn zhú hǎiジィエンチュウハァイ

色嫫女神山／色嫫女神山 sè mó nǚ shén shānセエモオニュウシェンシャン

帯ができる「水帯波光」、風のない静かな月の夜、湖面の月が手でつかめそうになる「鏡海痩月」なども知られる。樹正溝と日則溝が交わる地点にあり、標高は2367m。

珍珠灘瀑布／珍珠滩瀑布★★★

zhēn zhū tān pù bù／མུ་ཏིག་ཐབ་ཆུ།

ちんじゅたんばくふ／チェンチュウタァンプウブウ

もっとも美しい滝とたたえられ、九寨溝を代表する景観のひとつの珍珠灘瀑布。幅270m、落差21mの滝の水は勢いよく谷底へ流れ落ちていき、その音が轟く。そのとき、水しぶきが太陽に反射して、「真珠(珍珠)」のように飛び散ることから、珍珠灘瀑布という名前がついた。この滝の周囲はマイナスイオンが豊富で、激流のそばに小道が整備されている。標高2433m。

珍珠灘／珍珠滩★★☆

zhēn zhū tān／མུ་ཏིག་མཚོ་འགྲམ།

ちんじゅたん／チェンチュウタァン

標高2433m、視界の開けた広々とした扇状のカルスト地形にあわせて水が流れていく珍珠灘(灘は浅瀬、ビーチのこと)。流水の効果で、鱗の波紋のような地形になっていて、藻類や凹凸の石のなか、水は踊るように流れていく。この珍珠灘には次のような物語が伝わっている。昔、チベット族の若者と恋に落ちた女神がいて、男は真珠のネックレスを女神にプレゼントし、女神は男に開山斧をあたえた。男はその開山斧を使って水をひいたが、それを知った神は起こり、女神をとらえ、ネックレスを引き裂くと、真珠が118の破片になってこの灘に落ちたという。

3つの渓谷の合流点に立つ諾日朗旅游服務中心

壮観な滝の諾日朗瀑布

まるで鏡のように風景を映す鏡海

飛び散る水しぶきは真珠のよう珍珠灘瀑布

孔雀河道／孔雀河道★☆☆

kŏng què hé dào／རྨ་བྱ་ཆུ་འགྲོ་ལམ།

くじゃくかどう／コォンチウエハアダァオ

上流の五花海から流れてくる渓流のそばに整備された孔雀河道。このあたりの景観は、藍色(青)と碧色(緑)に彩られ、その様子が孔雀の羽根のようであることから、孔雀河道と呼ばれている。渓流は曲がりくねりながら流れ、透明度が高いことから、底に横たわった木の枝や幹まで見ることができる。あたりの灌木、木々も、四季折々の美しさを見せている。

五花海／五花海★★★

wŭ huā hăi／མཚོ་ཁྲ།

ごかかい／ウウフゥアハァイ

九寨溝でもっとも美しい湖のひとつで、「九寨溝一絶」「九寨精華」とたたえられる五花海。五花海の水は湖底の藻やこけ類と太陽の光の関わりで、青緑、墨緑、深藍、蔵青、金黄というように変化させることから五花海と名づけられた。長さ450m、幅227～313mの湖は、深さ12mであるにもかかわらず、透明度が高いため、湖底に沈んだ倒木、そこに生えた植物、石と小魚まではっきりと見える。これは水に石灰分が多いためで、乳白色の倒木は石灰質におおわれている。また五花海では、九寨溝でめずらしいチベット高原に生息する嘉陵裸裂尻魚と梭形高原鰍という2種類の魚が見られる(九寨溝では2種類の魚しかいない)。標高2462m、青く透き通った湖は幻想的で、おとぎ世界を思わせる。

熊猫海瀑布／熊猫海瀑布★☆☆

xióng māo hăi pù bù／ཧོམ་དཀར་མཚོའི་ཆབ་རྒྱུ།

ゆうびょうかいばくふ／シィオンマオハァイプウブウ

熊猫海瀑布は、熊猫海そばに位置する高さ65m、幅75mの滝。岸壁と岩によって流れがいくつも分断されながら、下へ

透明度の高い湖の五花海

かつてパンダが水を飲みにやってきた熊猫海

箭竹海、奥に向かって日則溝の標高はあがっていく

チベット文字と漢字がならんで表記されている

向かっていく。標高2574m。

熊猫海／熊猫海★★☆

xióng māo hǎi／ཛམ་ད་ཀར་མཚོ

ゆうびょうかい／シィオンマオハァイ

熊猫とはパンダのことで、「パンダの海」という名前の熊猫海。かつてパンダがこの湖に水を飲んだり、えさを探しにくるなど、パンダの姿が見られたことから名づけられた(現在、パンダを見かけることはない)。また、湖のなかの白い石に、天然の黒い斑があり、その姿がパンダのようだからだともいう。青と緑の湖面には山、樹木が映って美しく、深さ14mの湖には、九寨溝ではめずらしく五花海とともに魚が生息する。標高2587m。

箭竹海／箭竹海★☆☆

jiàn zhú hǎi／

せんちくかい／ジィエンチュウハァイ

熊猫海(パンダ海)の上流、標高2618mに位置する箭竹海。「箭竹」とは葉のやわらかい竹の一種で、パンダが好んで食べる。箭竹海という名称は、あたりに箭竹が茂っていたことに由来する。湖の深さは6mで、湖底には石灰化した枯れ木が見える。

天鵞海／天鹅海★☆☆

tiān é hǎi／ངང་མོ་མཚོ།

てんがかい／ティエンオオハァイ

日則溝の奥、周囲を山と原生林に囲まれた天鵞海。天鵞とは白鳥のことで、「スワンレイク」ともいい、ここで白鳥が飛来して繁殖行動をするという。標高2905mに位置するこの湖の長さは720m、幅50～100mで、深さは6mになる。水生植物が豊富で、あたりは静寂に包まれている。

芳草海／芳草海★☆☆

fāng cǎo hǎi／རྩྭ་མཚོ།

ほうそうかい／ファンツァオハァイ

周囲に森林が茂り、空気が清浄な芳草海。長さ540m、幅4〜20m、深さ４mの湖で、水草が茂り、さまざまな花が咲いている。標高2910m。

原始森林／原始森林★★☆

yuán shǐ sēn lín／གདོད་མའི་ནགས་ཚལ།

げんししんりん／ユゥエンシイセンリィン

岷山山脈の九寨溝(南坪)、松潘、平武が交わるあたりは、手つかずの原始森林(原生林)におおわれている。ここ日則溝最南端にも原始森林が残っていて、清浄な空気に包まれている(人間の住むところから遠く、高原で湿潤気候なこの地は、原始森林にとって環境がよかった)。この原始森林の続く標高1500〜3000m地帯には紅樺樹が立ち、その樹皮はチベット族の愛の印として使われている。チベット族の男は紅樺樹の樹皮をとって、そこに自分の想いを刻んで、女性に送るという。

色嫫女神山／色嫫女神山★☆☆

sè mó nǚ shén shān

しきもめがみさん／セエモオニュウシェンシャン

日則溝と則査窪溝のあいだにそびえる標高4136mの色嫫女神山。色嫫女神と達戈男神の九寨溝創世神話ゆかりの高山で、標高4110mの達戈男神山と対峙するように立つ。達戈男神が色嫫女神に送った宝鏡が天から落ちて、その破片が九寨溝の114の青く澄んだ湖になった。また雪山王から逃れるために、ふたりは緑宝石を飲み込んで、両座の山となった、という伝説が残っている。

Zha Ru Gou

扎如溝鑑賞案内

扎如溝は樹正溝、則査窪溝、日則溝に続く渓谷
それほど長くはないが
九寨溝第4の渓谷として注目されるようになった

扎如溝／扎如沟★★☆

zhā rú gōu／ཛ་ག་རུ་ཀྱེ་ཁུངས།
さつじょこう／チャアルウゴォウ

九寨溝の入口近く、樹正溝から枝わかれして南東に伸びる扎如溝。全長3kmほどの小さな渓谷だが、ボン教寺院の「扎如寺」や「宝鏡崖」などが位置する。樹正溝、日則溝と則査窪溝とともに九寨溝の渓谷を構成する。

扎如寺／扎如寺★★★

zhā rú sì／ཛ་ག་རུ་དགོན་པ།
さつじょじ／チャアルウスウ

チベット土着のボン教と、チベット仏教(ラマ教)双方の要素をあわせもつ扎如寺。九寨溝のチベット族の信仰を集めるこの扎如寺は、明朝(1368～1644年)末期に建てられ、その後、何度も改修された。金の屋根、赤のひさしをもつ五層の雍仲拉沢仏塔が堂々と立ち、1階は博物館、2階は顕宗殿、3階は密宗殿、4階は心宗殿、5階は仏祖舎利宝塔と大蔵経を安置する。アバ・チベット族チャン族自治州はボン教が盛んな場所でも知られ、扎如寺ではボン教の「万山之祖」が信仰されている。神がかりになって祈る「跳神舞儀式」、桑の煙をたいて神に祈る「桑烟」など、チベット仏教が伝来する前からの民族固有の祭りが行なわれている(チベット仏教は「右まわ

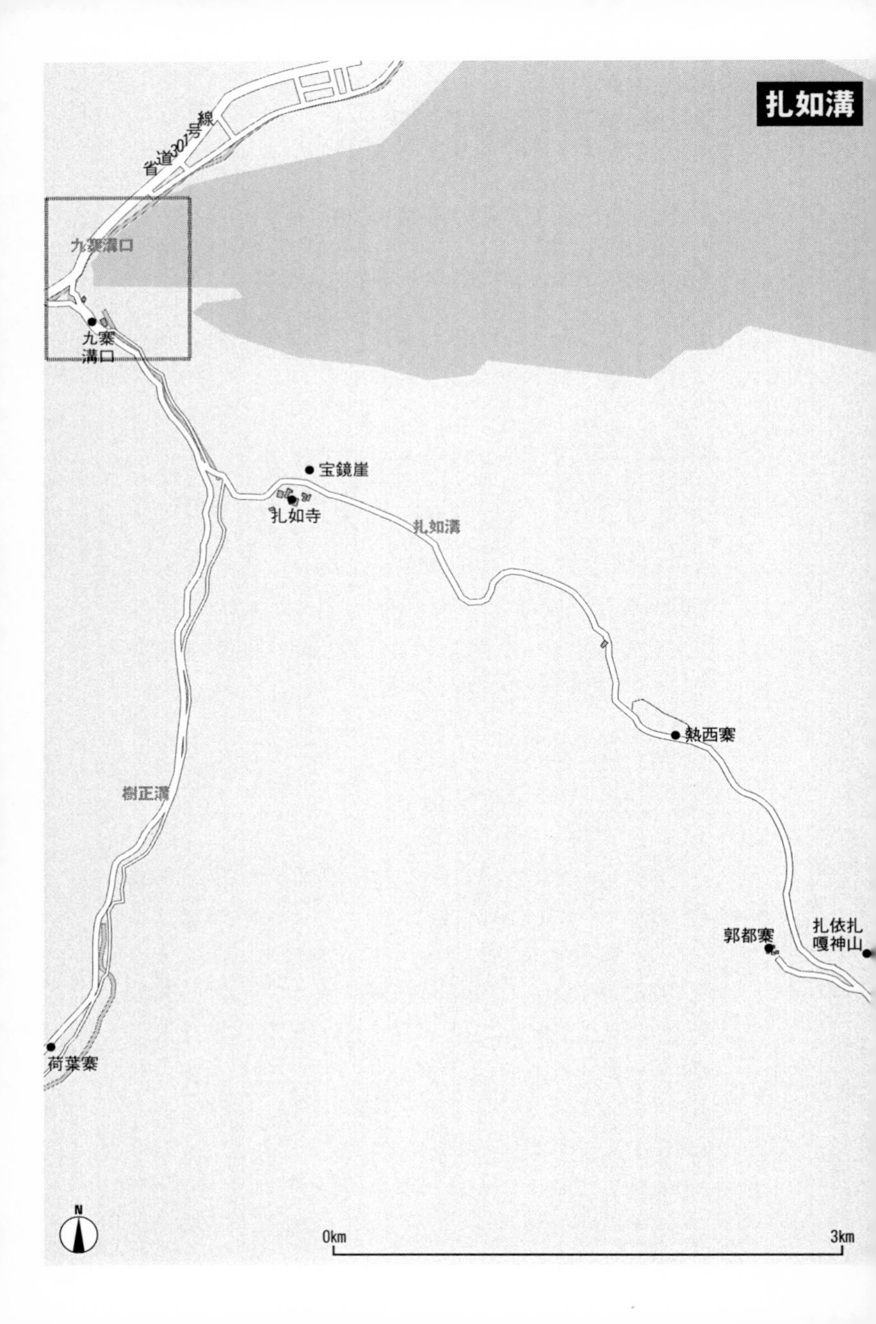
扎如溝
省道301号線
九寨溝口
九寨
溝口
宝鏡崖
扎如寺
扎如溝
熱西寨
樹正溝
郭都寨
扎依扎
嘎神山
荷葉寨
N
0km
3km

り＝時計まわり」に寺院をまわるが、ボン教では反対に「左まわり」にまわる）。7世紀の吐蕃の九寨溝地区への進出とともにチベット仏教が優勢になり、両宗教が混淆するようになった。

宝鏡崖／宝镜崖★★☆

bǎo jìng yá／ཤེལ་སྒོ་ཀ་ཡང་ཀ་ཟར།
ほうきょうがい／バオジィンヤア

扎如溝口の近く、小川のそばにそびえる高さ400mの宝鏡崖。鏡のような平面をもつ巨大な山塊、断崖で、「万山の主」扎依扎嘎によって造営されたと伝わる。昔むかし、悪魔が九寨溝にやってきて人びとを苦しめたとき、扎依扎嘎は宝鏡崖を渓谷の入口付近においた。それ以来、どんな妖魔でもここを通ろうとすると宝鏡崖に照らされ、正体を暴かれるため、渓谷内に入ることができなくなったという。

扎依扎嘎神山／扎依扎嘎神山★☆☆

zhā yī zhā gā shén shān／ཟག་དཀར་ཀ་ནས་རི།
さついさつかつしんざん／チャアイイチャアガアシェンシャン

扎如溝を奥にさかのぼっていった山深い地にそびえる扎依扎嘎神山。高さ4528mで、九寨溝でもっとも神聖な山とされ、山の神の「万山の主（扎依扎嘎）」が棲む。瀑布や池などの自然に包まれ、野生動物も生息する。

★★★
扎如寺／扎如寺 zhā rú sìチャアルウスウ
樹正溝／树正沟 shù zhèng gōuシュウチェンゴォウ

★★☆
扎如溝／扎如沟 zhā rú gōuチャアルウゴォウ
宝鏡崖／宝镜崖 bǎo jìng yáバオジィンヤア

★☆☆
扎依扎嘎神山／扎依扎嘎神山 zhā yī zhā gā shén shānチャアイイチャアガアシェンシャン
九寨溝口／九寨沟口 jiǔ zhài gōu kǒuジィウチャイゴォウコォウ
荷葉寨／荷叶寨 hé yè zhàiハアイエチャイ

チベット式仏塔のチョルテン

極彩色の建築が立っていた

藏宝店
中国

Song Pan

松潘城市案内

北の甘粛省、西のチベット、南と東の四川省
松潘は回族、チベット族、漢族など
複数の民族の交わる川西北文化走廊とたとえられる

松潘／松潘★★☆

sōng pān／ཟུང་ཆུ་རྫོང་།

しょうばん／ソォンパァン

松潘は、成都から北の岷山山脈に向かって、岷江をさかのぼった街道上に位置するアバ・チベット族チャン族自治州の要衝。紀元前316年、秦が蜀を併合したあと、松潘に湔氐県をおいたと伝えられるが、この街が文献に現れるのは、唐代の618年に松州が設置されたことにはじまる。7世紀のなかば、チベット高原に興った吐蕃（チベット）と唐王朝の争奪の場となったが、唐の文成公主（～680年）が吐蕃のソンチェンガンポ王に嫁ぐことで両者は和解した。こうして松潘は中国とチベットを結ぶ貿易集散地になり、「茶馬古道（雲南の茶とチベットの馬を交換する貿易の道）」も開けていった。元代、松潘にモンゴルの兵営がおかれたのち、明の1379年に松州衛がもうけられ、現在の松潘の性格がつくられた（松州衛はのちに潘州衛、松潘衛と呼ばれ、松潘という名称は、この松州と潘州の頭文字からとられている）。清代、松潘庁と松潘直隷庁がおかれていたが、民国に入った1913年に松潘県となった。現在も唐代以来の松州古城が残り、チベット族、羌族、回族、漢民族など、異なる文化、言語、暦をもつ人たちの暮らしぶり、融合した建築や民俗模様にふれられる。また九寨溝や黄龍といった世界遺産への足がかりにもなる。

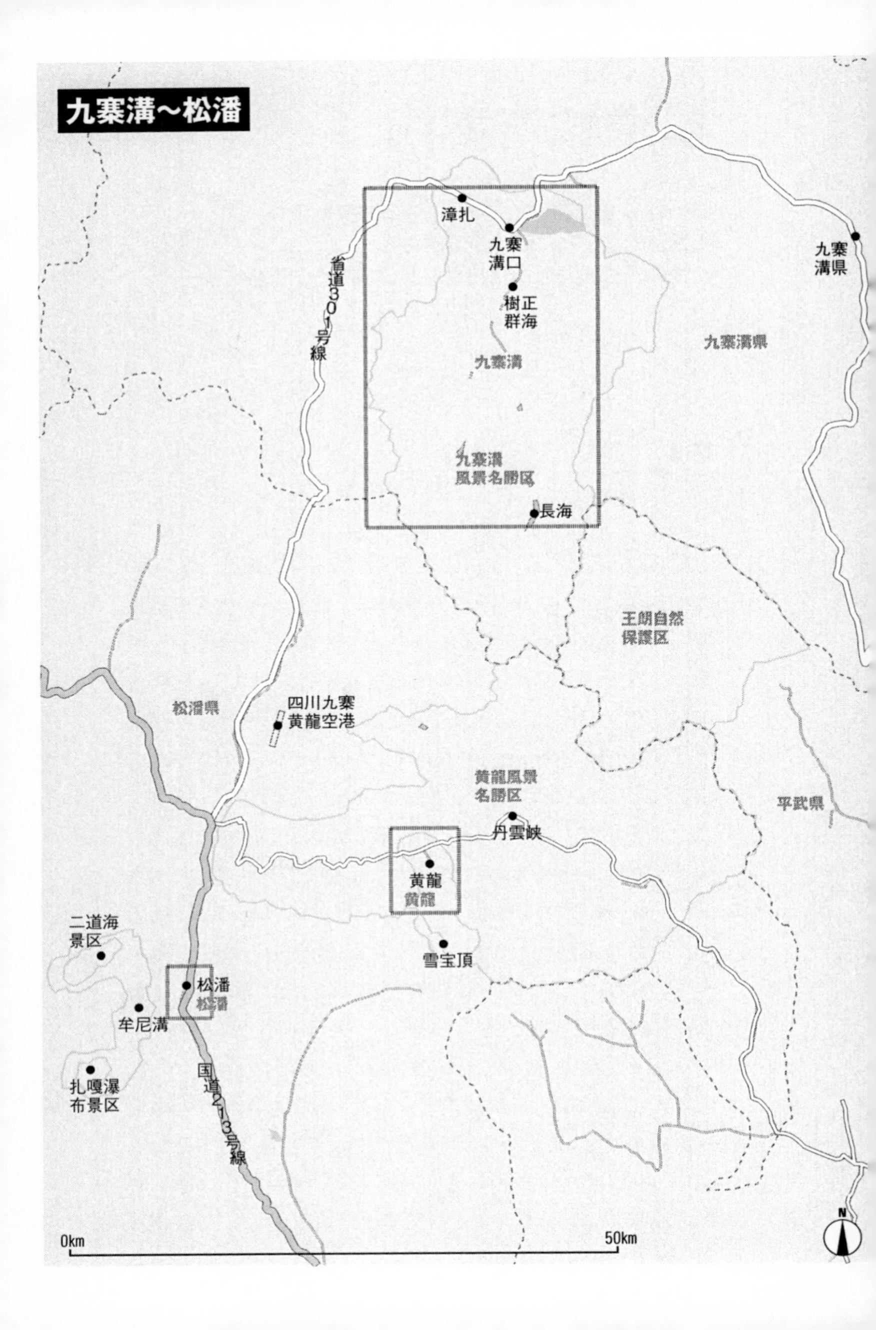

九寨溝～松潘
漳扎
九寨
溝口
九寨
溝県
省道301号線
樹正
群海
九寨溝県
九寨溝
九寨溝
風景名勝区
長海
王朗自然
保護区
松潘県
四川九寨
黄龍空港
黄龍風景
名勝区
平武県
丹雲峡
黄龍
黄龍
二道海
景区
雪宝頂
松潘
松潘
牟尼溝
扎嘎瀑
布景区
国道213号線
0km
50km
N

松州古城／松州古城★★☆

sōng zhōu gǔ chéng

しょうしゅうこじょう／ソォンチョウグウチャン

北の甘粛省と、南の成都を結ぶ街道上に残る松州古城。標高2850mに位置する「高原の城」で、東の岷江、西の山陵のはざまに立つ。松州古城は、唐代の618年に建設されて、交易の中心地となり、茶や馬など諸物資が集まっていた(763年に一旦、断絶した)。明の1379年、将軍丁玉によって松州衛が造営され、当時は街の四方に矩形の城壁(内城)がめぐらされていたが、嘉靖帝年間の1526年、西の山の頂上まで伸びる外城が増築された。この高さ12.5m、厚さ12m、周囲6.2㎞におよぶ城壁に、東の覲陽門、南の延薫門、西の威遠門、北の鎮羌門、西南麓の小西門と、外城にある臨江門、阜清門などが配置された(このうち西側の威遠門は山の頂上にあり、松州古城全体をながめられた)。岷江は松州古城の東門にあたる覲陽門を過ぎると、城内に流れこみ、中央の大通りを横切って西に向かう。東の覲陽門からは、西門の威遠門が山の頂上に見え、高低差500mの特徴的な街の姿となっている。松潘の進安鎮にあり、城関地区ともいう。

★★★

九寨溝／九寨沟 jiǔ zhài gōuジィウチャイゴォウ

樹正群海／树正群海 shù zhèng qún hǎiシュウチェンチュンハァイ

長海／长海 zhǎng hǎiチャンハァイ

黄龍／黄龙 huáng lóngファンロォン

★★☆

松潘／松潘 sōng pānソォンパァン

★☆☆

九寨溝口／九寨沟口 jiǔ zhài gōu kǒuジィウチャイゴォウコォウ

漳扎／漳扎 zhāng zhāチャァンチャア

九寨溝県／九寨沟县 jiǔ zhài gōu xiànジィウチャイゴォウシィエン

牟尼溝／牟尼沟 móu ní gōuモオニイゴォウ

丹雲峡／丹云峡 dān yún xiáダァンユゥンシィア

雪宝頂／雪宝顶 xuě bǎo dǐngシュエバオディン

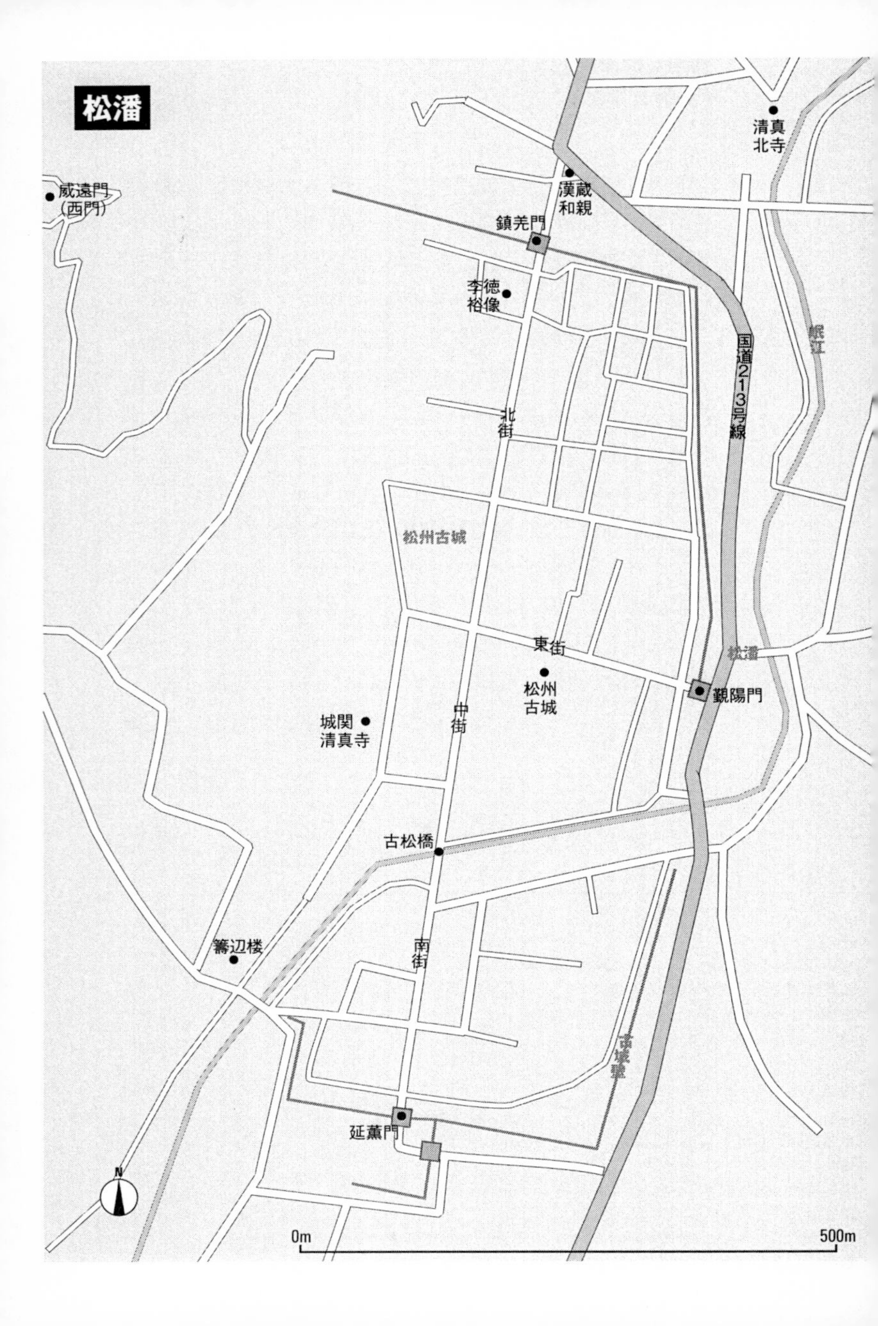
松潘
威遠門
(西門)
清真
北寺
漢蔵
和親
鎮羌門
李徳
裕像
国道213号線
北
街
松州古城
東街
松潘
松州
古城
観陽門
城関
清真寺
中
街
古松橋
南
街
篝辺楼
古城壁
延薫門
N
0m
500m

中街／中街★★☆

zhōng jiē

ちゅうがい／チョンジエ

中街はまっすぐ伸びる松州古城の目抜き通りで、通りの両脇には商店がずらりとならぶ。木造で切妻屋根をもつこの地方の建築が続き、軒先には雨をよけるひさしが見られる。松州古城城内は十字形の街区をしていて、中心の十字路から南街、北街というようにそれぞれの城門に向かって通りが伸びる（北街の茶号、中街の飲食業、牛や羊肉店、南街の雑貨業というように、それぞれの通りで特徴をもっていた）。明代以降に松潘の経済が発展すると、チベット商人、漢方薬や茶を売る漢族、回族の商人などが松州古城に集まって、中街はにぎわいを見せていた。

古松橋／古松桥★★☆

gǔ sōng qiáo

こしょうきょう／グウソォンチャオ

松州古城を南北につらぬく目抜き通り（旧街道）にかかる古松橋。明洪武帝の1380年にかけられ、清代に破損したのち、民国初期に重建され、岷江をまたいで中街と南街をつなぐ。橋の長さは26.47m（実際の部分16m）、幅7.5mで、装飾屋根のついた見事な廊橋の姿を見せる。古松橋のような屋根を

★★☆

松潘／松潘 sōng pānソォンパァン
松州古城／松州古城 sōng zhōu gǔ chéngソォンチョウグウチャン
中街／中街 zhōng jiēチョンジエ
古松橋／古松桥 gǔ sōng qiáoグウソォンチャオ

★☆☆

城関清真寺／城关清真寺 chéng guān qīng zhēn sìチャングゥアンチィンチェンスウ
李徳裕像／李德裕像 lǐ dé yù xiàngリイダアユウシィアン
鎮羌門／镇羌门 zhèn qiāng ménチェンチィアンメン
漢蔵和親／汉藏和亲 hàn cáng hé qīnハァンツァンハアチィン
清真北寺／清真北寺 qīng zhēn běi sìチィンチェンベイスウ
延薫門／延薰门 yán xūn ménイェンシュンメン
籌辺楼／筹边楼 chóu biān lóuチョウビィンロォウ

松州古城の東門にあたる覲陽門

もつ橋は、成都はじめ四川省でしばしば見られる様式で、松州古城南西隅の峡月橋でも見られる。

城関清真寺／城关清真寺★☆☆

chéng guān qīng zhēn sì

じょうかんせいしんじ／チャングゥアンチィンチェンスウ

松州古城に残るイスラム教モスクの城関清真寺。イスラム教は唐代に松潘に伝わったと言われ、その後の1253年、クビライ・ハンが東山の山麓に清真寺を建てたという。城関清真寺は、明代の1379年に建てられた清真上寺、清真下寺を前身とし、松州古城が進安鎮の城関地区にあたることから城関清真寺と呼ぶ（清真上寺は県城西衛公岩の麓、下寺は中街にあり、下寺が城関清真寺となった）。明代に修建されたときの封火墻は今でも見られる。清代、茶馬古道の中継地であった松潘に多くの商人が訪れ、松潘ではイスラム教徒の回族商人が力をもっていた。

李徳裕像／李德裕像★☆☆

lǐ dé yù xiàng

りとくゆうぞう／リイダアユウシィアン

鎮羌門そばの北門内広場には、唐代の政治家の李徳裕像が立つ。李徳裕（787〜849年）は吐蕃やウイグルなどへの積極策を打ち出し、829年に剣南西川節度使に着任した。李徳裕はこの松州で柔遠城を築いて吐蕃にそなえたほか、都長安にならって鐘楼、鼓楼を建てたという（十字街口に鼓楼があった）。

鎮羌門／镇羌门★☆☆

zhèn qiāng mén

ちんきょうもん／チェンチィアンメン

「羌を鎮める門」を意味する松州古城の北門の鎮羌門（ちょうど南の成都側から見て、北は羌族の居住地にあたる）。1526年に再建され、高さ8.5m、幅6mで、城壁のうえに二層の楼閣が乗る現在の姿となった。下部にアーチ型の通路があり、特筆されるのはこの門の奥行きは31.5mあること。明代の城門では中国でも最大の厚さで、北京の故宮、南京、西安の城門に比肩される。

漢蔵和親／汉藏和亲★☆☆

hàn cáng hé qīn

かんぞうわしん／ハァンツァンハアチィン

松州古城の鎮羌門（北門）外に立ち、唐（中国）とチベットの友好を象徴するモニュメントの漢蔵和親。古代チベット吐蕃の王ソンチェンガンポ（在位629〜649年）と、その王に嫁いだ唐の文成公主の像で、松潘のシンボルでもある。チベット高原を統一し、一大帝国を築いたソンチェンガンポは、634年に唐に使節を送り、公主（皇帝の娘）の降嫁を要求した。唐が拒絶すると、ソンチェンガンポは20万人の軍で出兵し、吐谷渾を討ち、松州（松潘川主寺）で唐軍と対峙した。結局、唐が勝利して吐蕃は退却したが、唐は王の願いを聞き、640年に文成公主がソンチェンガンポのもとに嫁いだ。これによって、唐と吐蕃の関係は安定することになった。

清真北寺／清真北寺★☆☆

qīng zhēn běi sì

せいしんほくじ／チィンチェンベイスウ

松潘北門外、回族の暮らす順江村に立つイスラム教モスクの清真北寺。松潘では清代に多くの回族が移住してきて、茶馬古道の担い手となった回族が経済的に大きな力をもった。この清真北寺は、清末の1896年に回族の茶商である馬鑑によって建てられた。1911年に一旦破壊され、1917年に再建、また1938年に日本軍が松潘を爆撃したとき破損したが、1939年に重建された。宣礼楼、礼拝殿、南北経堂、水房、花園、河心亭などが残り、400人が同時に礼拝できる。

松潘はチベットと漢族、少数民族の交差点

金色に輝くドームのモスク

松潘は岷江がつくった渓谷にある、左右を山に囲まれている

延薫門／延薫门★☆☆

yán xūn mén

えんくんもん／イェンシュンメン

松州古城の南にあたる延薫門。城壁のうえに二層の楼閣が載る堂々としたたたずまいで、屋根の四隅はそりかえっている。門の外へ出ると、南東の壁にさらに古城門があり、防御に優れた体制であったことがわかる（甕城という半円形の小城郭がもうけられ、延薫門の防御機能が高められていた）。

籌辺楼／筹辺楼★☆☆

chóu biān lóu

ちゅうへんろう／チョウビィンロォウ

屋根つきの峡月橋を渡った地点、松州古城の西の崖に立つ籌辺楼。こ籌辺楼は、829年、剣南節度使として四川に赴任した李徳裕（787～849年）が建てたものを前身とする。籌辺とは松州など国境地帯のことで、李徳裕は松州に柔遠城を築いて吐蕃にそなえた。それは松州古城西の衛公岩（衛国公に封ぜられた李徳裕は、李衛公ともいった）にあり、のちに七層に修建されたことから、七層楼とも呼ばれた。現在はチベット仏教で信仰を集める観音をまつる観音閣となっていて、高台にある伽藍からは松潘の街並みが見える。

宝镜楼

Huang Long

黄龍鑑賞案内

**天界から押し寄せる波のように流れる水
また黄色い龍が駆けのぼろうとする姿を思わせる
鮮やかな彩池が集まる世界自然遺産の黄龍**

黄龍／黄龙★★★

huáng lóng／གསེར་མཚོ།

こうりゅう／ファンロォン

成都へと流れていく岷江上流域、岷山山脈の主峰である標高5588mの雪宝頂のふもとに位置する黄龍。雪宝頂を南端にすると、長さ8km、幅約2.5kmほどの渓谷が南北に走り、そのなかを景勝地が点在している（平均標高3550m）。地表はカルシウム化されていて、水は姿を変えながら、棚田状の湖沼群、浅瀬、滝を流れていく。鱗のような特異な地形と湖の色、その様子は谷を駆けあがる黄色い龍のようで、黄龍という名前はそこからつけられた。石灰濃度の高い水の浄化作用、湖中の沈殿物、太陽の光などの作用から、湖面はエメラルドグリーンに輝き、黄龍の湖は「鮮やかな池」を意味する彩池（池子）と呼ばれる。黄龍溝を水が流れていく様子は美しく、天（雪宝頂）へいたるための第一歩の階段、西王母の棲む瑶池にもたとえられる。同じアバ・チベット族チャン族自治州の九寨溝と同じ1992年に世界自然遺産に登録されている。

黄龍の構成

黄龍景区と総称される一帯は、「黄龍溝」「牟尼溝」「丹雲峡」「雪宝頂」「雪山梁」「紅星岩」という6つのエリアからな

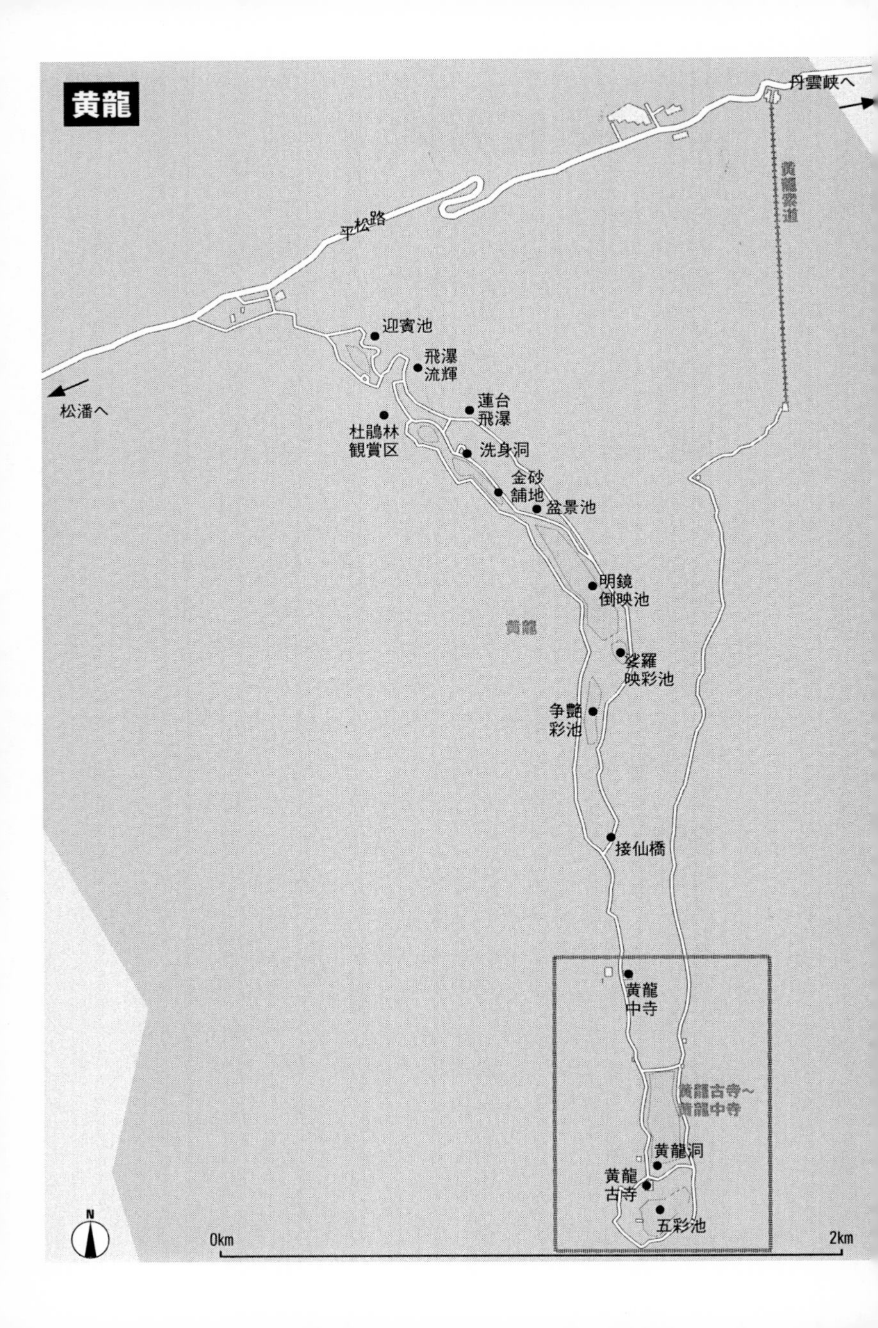

黄龍
丹雲峡へ
黄龍索道
平松路
松潘へ
迎賓池
飛瀑
流輝
蓮台
飛瀑
杜鵑林
観賞区
洗身洞
金砂
舗地
盆景池
明鏡
倒映池
黄龍
娑羅
映彩池
争艶
彩池
接仙橋
黄龍
中寺
黄龍古寺～
黄龍中寺
黄龍洞
黄龍
古寺
五彩池
N
0km
2km

る。岷江上流域に位置し、標高5588mの雪宝頂、標高5010mの紅心山、標高4166mの丹雲峰などの高山がそびえ立つ。このうち、いわゆる黄龍と通称されるのが「黄龍溝」で、標高3145〜3578mのあいだを、龍の首にあたる五彩池から長さ3.6mの渓谷(谷川)に3400を超すトラバーチンの彩池が点在する(とくに水の豊富な7〜9月、紅葉を見せる10月の景色が美しい)。この黄龍は、岷山山脈がチベット高原とともに急速に隆起した200万年前の地球の造山運動によってつくられた。中国の氷河の最東端でもあり、第四紀氷河の遺跡も見られる。

五彩池／五彩池★★★

wǔ cǎi chí

ごさいち／ウウツァイチイ

黄龍の最奥部、標高3576mの高地に位置し、黄龍を象徴する景観をもつ五彩池。大小693の「彩池(池子)」が連なり、まるで碧玉のお盆が何枚も重なったようで、上の彩池から下の彩池へと水があふれ出して流れていく。そして、湖底の倒木、藻類、こけ、また太陽の光の屈折、池の深さなどがあい

★★★

黄龍／黄龙 huáng lóngファンロォン

五彩池／五彩池 wǔ cǎi chíウウツァイチイ

★★☆

黄龍古寺／黄龙古寺 huáng lóng gǔ sìフゥアンロォングウスウ

争艶彩池／争艳彩池 zhēng yàn cǎi chíチェンヤァンツァイチイ

金砂舗地／金沙铺地 jīn shā pū dìジィンシャアプウディ

★☆☆

黄龍洞／黄龙洞 huáng lóng dòngフゥアンロォンドォン

黄龍中寺／黄龙中寺 huáng lóng zhōng sìフゥアンロォンチョンスウ

接仙橋／接仙桥 jiē xiān qiáoジィエシィアンチィアオ

娑羅映彩池／娑罗映彩池 suō luó yìng cǎi chíスゥオルゥオイィンチャイチイ

明鏡倒映池／明镜倒映池 míng jìng dào yìng chíミィンジィンダァオイィンチイ

盆景池／盆景池 pén jǐng chíペンジィンチイ

洗身洞／洗身洞 xǐ shēn dòngシイシェンドォン

杜鵑林観賞区／杜鹃林观赏区 dù juān lín guān shǎng qūドゥジュアンリィングゥアンシャンチュウ

蓮台飛瀑／莲台飞瀑 lián tái fēi pùリィエンタァイフェイプウ

飛瀑流輝／飞瀑流辉 fēi pù liú huīフェイプウリィウフウイ

迎賓池／迎宾池 yíng bīn chíイィンビィンチイ

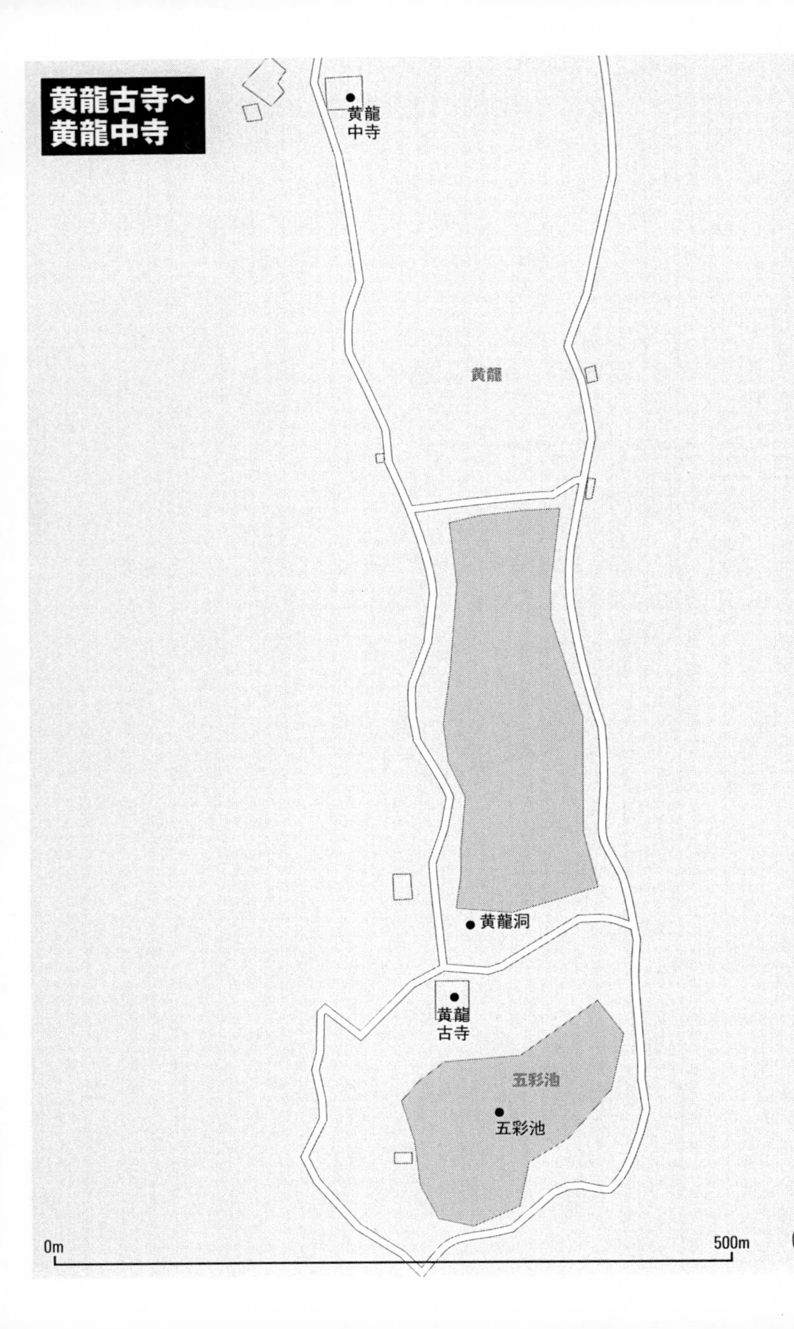
黄龍古寺～
黄龍中寺
黄龍
中寺
黄龍
黄龍洞
黄龍
古寺
五彩池
五彩池
0m
500m
N

まって、湖面が白、紫、藍、緑に変化することから、五彩池と名づけられた。カルシウム濃度の高いことから、五彩池は真冬でも凍らず、「黄龍の目」にたとえられている。この五彩池では、石灰の堆積に飲み込まれている石塔(石塔鎮海)と石屋根が見られる。唐代の開国の功臣である程咬金の孫の程世昌夫妻の墓であるとも言われるが、実際は明代のもの。黄龍五彩池と同様の地形は、パムッカレ(トルコ)にもある。

黄龍古寺／黄龙古寺★★☆

huáng lóng gǔ sì

こうりゅうこじ／フゥアンロォングウスウ

五彩池のすぐそばに立つ道教寺院の黄龍古寺(黄龍後寺)。道教の黄龍真人がここで修行をつみ、天にのぼったと言われる場所で、西王母の棲む瑶池にもたとえられる。黄龍古寺には、夏の禹王が治水のために茂県を訪れたとき、この地の黄龍が禹王を助けたことを感謝して、廟を建ててまつったという伝説が残る。実際は、明(1368～1644年)の兵備副史であった馬朝覲による創建で、雪宝頂の南麓にあることから雪山寺とも、白鹿寺とも呼ばれる(また仏教寺院の黄龍中寺まで676mしか離れておらず、黄龍中寺に対して黄龍後寺ともいう)。寺院建築、法輪、宝幢(旗)、宝傘などでチベット仏教、ボン教双方の影響が見えるなど、宗教が混淆しており、道教の黄龍真人、禹王、仏教の菩薩を同時にまつる。この黄龍古寺には、チベット族や羌族、回族、漢族など多様な人が巡礼に訪れる。

★★★

黄龍／黄龙 huáng lóngファンロォン

五彩池／五彩池 wǔ cǎi chíウウツァイチイ

★★☆

黄龍古寺／黄龙古寺 huáng lóng gǔ sìフゥアンロォングウスウ

★☆☆

黄龍洞／黄龙洞 huáng lóng dòngフゥアンロォンドォン

黄龍中寺／黄龙中寺 huáng lóng zhōng sìフゥアンロォンチョンスウ

禹王の治水伝説

禹王は、古代中国にあった夏王朝の創始者で、治水によって民を導いたという神話上の帝王。禹王の生誕地だという広柔県は、四川省綿陽市北川チャン族自治県に比定されている。こうした経緯から、岷江上流域の黄龍にも禹王の伝説が残っていて、禹王が治水のために、岷江をさかのぼって水源の視察にやってきたときのこと。突然、川面に波が立ち、禹王の乗っていた船が転覆しそうになった。このとき、金色に輝く黄龍がやってきて、波（波浪）と戦い、勝利した黄龍は船を背負ったまま岷江を遡行して、禹王による岷江源流の視察を助けた。禹王は黄龍をたたえたが、黄龍は封爵を望まず、牟尼溝の二道海に姿を隠して、のちに黄龍溝にいたってこの地の山水をつくり、ここで昇天した。それが黄龍や黄龍寺の名前の由来とされる。

黄龍真人の方舟伝説

昔むかし、黄龍から見て岷江下流部に暮らす楽山の人は、一晩で一度に黄袍紅衣を身にまとった白いひげの老人の夢を見た。それは老人が「早く逃げなさい、洪水がやってくる」と警告するもので、人びとはその夢の通り、川岸から離れた。しかし、その夢の警告を信じずに、移動しない人もいた。しばらくすると、岷江は急に水かさを増し、楽山の家屋と田畑の多くを流し去ってしまった。逃げのびた人は、老人のお告げを不思議に思い、岷江をさかのぼってみると、雪宝頂麓の練乳洞で僧侶の塑像を見つけた。それはこの地で昇天した黄龍真人のもので、黄龍真人の霊験で命が救われたことを感謝し、前中後の3つの寺院を建立して黄龍寺と命名した。

世界自然遺産黄龍への道

五彩池の向こうに黄龍古寺が見える

鮮やかなエメラルドグリーンの五彩池

彩池のわきに歩道が整備されている

黄龍洞／黄龙洞★☆☆

huáng lóng dòng

こうりゅうどう／フゥアンロォンドォン

黄龍洞は黄龍古寺（黄龍後寺）のすぐそばに残る石灰岩の洞窟。標高3568mに位置する高さ30m、幅20m、奥行き50mの洞窟で、明代の三尊坐仏が安置されている。道教の真人と仏教の仏爺ゆかりの洞窟であることから、またの名を「帰真洞」「仏爺洞」という。

黄龍中寺／黄龙中寺★☆☆

huáng lóng zhōng sì

こうりゅうちゅうじ／フゥアンロォンチョンスウ

道教寺院の黄龍古寺（黄龍後寺）から676m離れた地点に立つ黄龍中寺。明代に建てられたチベット仏教、またボン教の寺院で、7つの殿堂ごとに霊官、弥勒、天王、火神、観音といった異なる神さまをまつる。建築には漢族とチベット族双方の影響が見える。標高3470m。

接仙橋／接仙桥★☆☆

jiē xiān qiáo

せっせんきょう／ジィエシィアンチィアオ

この世と仙境（西王母の棲む瑶池）を結ぶという接仙橋。昔むかし、この橋を渡ろうとした者が、池のほとりで歌い舞う仙人を見、七色の雲のなか、仙境への迎えがきたという伝説がある。「仙人に接する橋」を意味する。

娑羅映彩池／娑罗映彩池★☆☆

suō luó yìng cǎi chí

さらえいさいち／スゥオルゥオイィンチャイチイ

400あまりのエメラルドグリーン色をした彩池群からなる娑羅映彩池。娑羅とはツツジのことで、周囲にツツジが群生することから名づけられた（黄龍では多くの種類のツツジが見られ、彩池周囲のツツジを湖面に映す)。標高3415mに位置する。

争艶彩池/争艳彩池★★☆

zhēng yàn cǎi chí

そうえんさいち/チェンヤァンツァイチイ

黄龍で2番目に大きい規模をもち、658の彩池から構成される争艶彩池。彩池群の鮮やかな色彩、優美さ、かたちの豊富さ、深さの異なる湖、どれをとっても黄龍屈指の彩池で、太陽の光を受けると、湖面は金色、緑、ワインレッド、オレンジなど、さまざまな色へ変化する。標高3454mで、近くにはアツモリソウ、シャクナゲの植物群落がある。

明鏡倒映池/明镜倒映池★☆☆

míng jìng dào yìng chí

めいきょうとうえいち/ミィンジィンダァオイィンチイ

雲、雪をいただく周囲の山、木々を鏡のように湖面に映す明鏡倒映池。「くもりのない鏡のように、(風景を)反射させる池」を意味し、とくに標高5160mの玉翠峰がこの池に映る姿の美しさが知られる。標高3400m、180の美しい彩池が集まる。

盆景池/盆景池★☆☆

pén jǐng chí

ぼんけいち/ペンジィンチイ

標高3320m、330あまりの彩池を擁する盆景池。池のそばの松、柳、ツツジなどが湖面に逆さに映り、それがまるで池中に生える盆栽のようであることから、「盆景池」と呼ぶ。滝のように落ちながら流れていく水は、太陽の光、木の根、藻類の作用で、黄色、白、褐色、灰色などに変化して見える。

水に浮かぶ盆栽のよう、盆景池

滝、下流へ向かって水は姿を変えながら流れていく

地元のチベット人から信仰を集めている雪宝頂

屋台のご飯、多くの調味料を使う

洗身洞／洗身洞★☆☆

xǐ shēn dòng

せんしんどう／シイシェンドォン

黄龍真人が瞑想したと伝えられる洗身洞。金砂舗地から続く石灰がここで陥没して、高さ10m、幅40mの壁（滝）をつくる。その低い滝の裏側に高さ1m、幅1.5mほどの洞穴があり、内部は黄色の壁と乳白色の鍾乳洞となっている。

金砂舗地／金沙铺地★★☆

jīn shā pū dì

きんさほち／ジィンシャアプウディ

小きざみな段々の斜面が長さ1300m、幅40～122mほど続く金砂舗地（高低差は122m）。石灰分のつくった地形はかたまって畦になり、それが黄龍の背の鱗のように見えることから名づけられた。石灰のつくった特異な地形（浅瀬）のなかでもっとも美しく、もっとも鮮やかな色彩をもつ渓流と言われ、太陽光に照らされると金色に輝く。標高3305m。

杜鵑林観賞区／杜鹃林观赏区★☆☆

dù juān lín guān shǎng qū

とけんりんかんしょうく／ドゥジュアンリィングゥアンシャンチュウ

高さは1～10mほどで、枝が多くて太く、棘のある多種多様なツツジが見られる杜鵑林観賞区（杜鵑とはツツジのこと）。黄龍では標高3500～3800mの日陰の斜面に群生し、レッコウトケン、大葉金頂ツツジ、多鱗ツツジ、黄毛ツツジ、雪山ツツジなどの品種が見られる。ツツジは「映山紅（山に映える赤）」ともいう。

蓮台飛瀑／莲台飞瀑★☆☆

lián tái fēi pù

れんだいひばく／リィエンタァイフェイプウ

標高3260mの地点にあり、「龍の爪」にもたとえられる蓮台飛瀑。長さ167m、幅19mの滝は、高度差45mになる。蓮の玉座のような黄色の地形をしていて、踊るように水が落ちていく。

飛瀑流輝／飞瀑流辉★☆☆

fēi pù liú huī

ひばくりゅうき／フェイプウリィウフゥイ

いくつもの筋をつくりながら、階段状の斜面を流れ落ちる飛瀑流輝。幅60m、高さ10mの滝で、上方の湖からの水が浅瀬の石や岩のなか流れていく。

迎賓池／迎宾池★☆☆

yíng bīn chí

げいひんち／イィンビィンチイ

黄龍溝景区の入口近くにあることから名前がつけられた迎賓池。大小350あまりの池が棚田状につながっていて、石灰化した段丘を水が流れていく。黄色い石灰の堤防と、太陽の光、水底の水生植物がつくり出した翠や青色の彩池が見られる。標高3230m。

Huang Long Jiao Qu

黄龍郊外鑑賞案内

松潘郊外一帯に点在する景勝地群
牟尼溝、丹雲峡、雪宝頂もまた黄龍溝とともに
世界自然遺産に登録されている

牟尼溝／牟尼沟★☆☆

móu ní gōu

むにこう／モオニイゴォウ

瀑布、湖、温泉、鍾乳柱などが織りなす美しい自然遺産の牟尼溝。2800～4078mの標高に景勝地が分布し、扎嘎瀑布景区と二道海景区から構成される。扎嘎瀑布は幅35～40m、全長2kmにおよぶ巨大な滝で、落差は104mになる。大きな飛沫を散らしながら落ちていき、雷のように聞こえる音は十里先まで届くという。一方、二道海は翡翠色の美しい湖面をたたえ、鏡のように周囲の景色を映すことから明鏡湖ともいう。この牟尼溝は松潘の西30kmに位置し、黄龍景区の一部を構成する。

丹雲峡／丹云峡★☆☆

dān yún xiá

たんうんきょう／ダアンユゥンシィア

嘉陵江の支流である涪江源流近くに位置する丹雲峡（嘉陵江は重慶で長江と合流する）。丹雲峡の峡谷は深く、豊富な水が曲がりくねりながら流れていく。丹雲峡という名前は、周囲を森林におおわれて植物が豊富で、秋には真っ赤（「丹」とは赤のこと）に渓谷が染まることから名づけられた。奇石や峰、洞穴、瀑布が点在し、「扇子洞」「白龍峡」「丹雲飛瀑」「筆架山」と

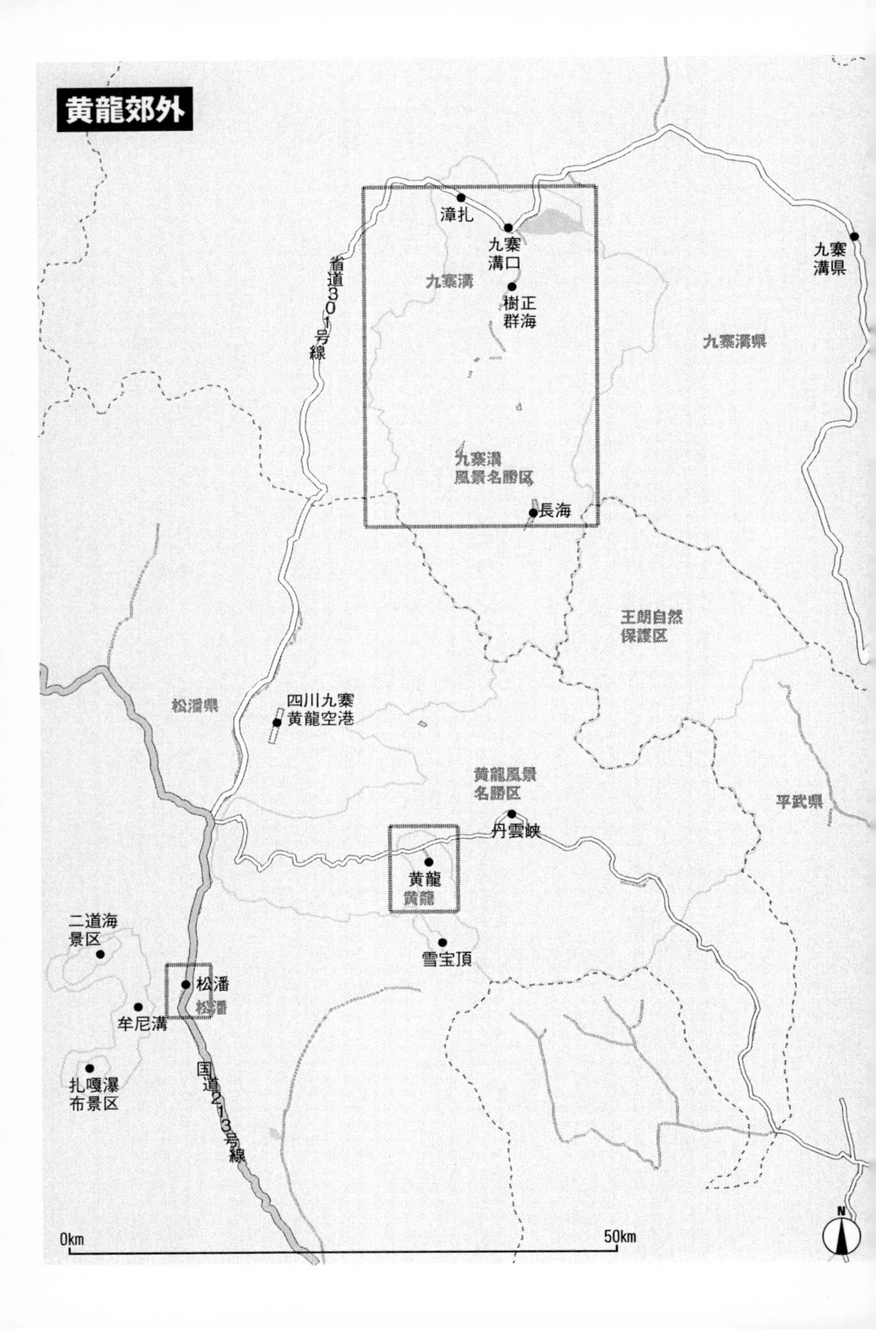
黄龍郊外
漳扎
九寨
溝口
九寨溝
樹正
群海
九寨溝
風景名勝区
長海
九寨
溝県
九寨溝県
省道301号線
王朗自然
保護区
松潘県
四川九寨
黄龍空港
黄龍風景
名勝区
丹雲峡
平武県
黄龍
黄龍
雪宝頂
二道海
景区
松潘
松潘
牟尼溝
扎嘎瀑
布景区
国道213号線
0km
50km
N

いった景勝地を抱える。松潘から見て黄龍をこえた黄龍郷の奥にあり、野生動物も多く生息する。

雪宝頂／雪宝顶★☆☆
xuě bǎo dǐng
せつほうちょう／シュエバオディン

甘粛省から四川省へ南北に伸びる岷山山脈の主峰で、標高5588mの聖なる山の雪宝頂(雪宝鼎)。黄龍溝の南にそびえ、頂部は万年雪におおわれ、それが頭に雪をかぶった巨人に見える。チベット語で、「東方にそびえたっている法螺貝のような神山」を意味するシャドンルガボと呼ばれ、ボン教の七大聖山のひとつにもあげられる(観音菩薩のもつ法螺貝が変化して雪宝頂になったという)。雪宝頂を左まわりで一周すると、仏教の六字真言、ボン教の八字真言を1億回唱えた効果があると、この地方のチベット族に信じられている。雪宝頂の周囲には、4500mを超す山が20座ある。

★★★
九寨溝／九寨沟 jiǔ zhài gōuジィウチャイゴォウ
樹正群海／树正群海 shù zhèng qún hǎiシュウチェンチュンハァイ
長海／长海 zhǎng hǎiチャンハァイ
黄龍／黄龙 huáng lóngファンロォン

★★☆
松潘／松潘 sōng pānソォンパァン

★☆☆
牟尼溝／牟尼沟 móu ní gōuモオニイゴォウ
丹雲峡／丹云峡 dān yún xiáダァンユゥンシィア
雪宝頂／雪宝顶 xuě bǎo dǐngシュエバオディン
九寨溝口／九寨沟口 jiǔ zhài gōu kǒuジィウチャイゴォウコォウ
漳扎／漳扎 zhāng zhāチャァンチャア
九寨溝県／九寨沟县 jiǔ zhài gōu xiànジィウチャイゴォウシィエン

この湖群は1970年代までほとんど知られていなかった

四川料理の看板、麻辣の味つけ

四川省北西部のチベット族の暮らしにふれる

神話に彩られた九寨溝の長海の様子

Hakken Madeno Michinori

九寨溝発見までの道のり

唐と吐蕃(チベット)のにらみあいのなかで
見いだされたアバ・チベット族チャン族自治州
過去から未来へのこの地の歩み

九寨溝とその地域の歴史

紀元前316年、秦は岷江上流の東岸(松潘)に湔氐道を設置したという。また『漢書』や『後漢書』は「西山八国、六夷、七羌、九氐」というようにこの地に暮らす異民族について記している。唐代の618年、松潘に松州がおかれたが、中国王朝の実質的な支配は九寨溝にはおよんでいなかった。やがてチベット高原の吐蕃が大量の兵士とともにこの地にいたり、チベット仏教が伝来し、その子孫たちは地元民と混血していった。元(1271〜1368年)代になると、中央から地元の酋長に官職をあたえて従来通りの統治を認める政策がとられた(「土司制度」)。明(1368〜1644年)代、九寨溝をふくむ一帯は四川布政使司、成都府松潘衛などの管轄下にあったが、集落ごとに異なる民俗、氏族名が記されていて、小規模勢力の割拠状態が続いた。清(1636〜1912年)代のなかごろから、中央の王朝の権力がおよぶようになり(「改土帰流」)、清朝は今の九寨溝県に四川省松潘庁南坪営隆康寨司(九寨溝近くの隆康郷)と黒各郎寨司をおいた。民国(1912〜49年)時代に入ると松潘県、そして現在の九寨溝県は南坪県となったが、九寨溝には9つのチベット族の集落がたたずむばかりだった。九寨溝に関しては清代の『松潘県志』のなかで「羊峒(南坪)に、上羊峒、中羊峒、下羊峒があり、翠海と呼ばれる湖がある」ことが記されている。1954年、成都とアバ・チベット族チャン族自治州を結ぶ公路が開通し、この地の開発が本格化するなかで、1970年代に森林伐採者によって九寨溝の湖群が「発見」された。1992年には九寨溝と黄龍がともに世界自然遺産に指定され、観光地化が進んで現在にいたる。

改土帰流とは

元(1271～1368年)代以来、中国西南の辺境地では「土司制度」や「改土帰流」といった政策が行なわれてきた。唐宋時代まで、九寨溝をふくむこの地に中国王朝の支配はおよばず、元、明時代も地元の酋長による自治が認められていた(明代、雲南麗江の木氏土司がこの地にまで勢力を伸ばしたという経緯もある)。これを「土司制度」と呼び、明代には土司をもうける一方、朝貢や税を課して支配を強め、中国化の進んだところでは地元の有力者である「土司」を「改め」、朝廷から派遣された「流官」をおくようになった。これを「改土帰流」と呼ぶ。アバ・チベット族チャン族自治州も、清朝(1636～1912年)の乾隆帝のころには中国化が進んだが、それは地元民の反発も生み、1747年から起こった大金川、小金川の二度の反乱にはこうした経緯があった。この乱を平定した清朝の領土は空前の広さとなり、現在の中国にも受け継がれている。

白馬チベット族と羌族

四川省の平武県、九寨溝県、甘粛省文県に分布する白馬チベット族。白馬とは古いチベットの言葉で「兵士」を意味し、チベット高原の吐蕃が唐王朝と戦ったときの兵士の子孫だという。この白馬チベット族は、チベット族の一派とされるが、生活習慣や宗教、風俗でチベット族とは異なり、むしろ羌族に近いという。1949年以前は白馬蕃などと呼ばれ、1950年、白馬チベット族となったが、現在でもこの民族の起源には氐族説、チベット族説、チベット系の羌族説、それ以外の独立民族説がある(その居住地は、先秦時代の白馬氐の分布地に重なる)。白馬チベット族とともに暮らすこの地の羌族は北方より来たと考えられ、古代中国の殷に、甘粛、青海高原の故地を追われて移動を余儀なくされたという。殷周時代から羌族が青海、甘粛、四川西部に暮らし、それは春秋戦国時代の文献にも記されている。長い期間の移動、地元民族の融合が進み、唐末宋初には羌族は岷江上流域に残るのみとなった。

地震の多い地域

九寨溝、松潘などのアバ・チベット族チャン族自治州は、中国側とインド側の大陸プレートが衝突する場所にあたり、地震多発地帯として知られてきた。唐代の638年から1979年までに、64回の大地震があったと記録されているという。1933年、茂県の畳渓古城で起こった大地震では、6856人の死者を出し、街は崩壊、山が崩れて岷江に堆積し、大小2つの堰止湖(海子)が生まれた(地震が起こる直前、牛はおびえて、羊や豚は草を食べなかったという)。2008年に起きたマグニチュード8の四川大地震(汶川)もアバ・チベット族チャン族自治州が震源地で、約6万9000もの人が命を落とした。また2017年の九寨溝地震のマグニチュードは7.0で、九寨溝の「火花海」が決壊した。

参考文献

『四川省・九寨溝 114の湖と17の瀑布 大自然が生み出した夢幻の仙境』(劉世昭/人民中国)
『四川省・黄竜 七色に輝く池と渓流 手つかずの自然が織りなす美の極致』(劉世昭/人民中国)
『秘境アバの自然と民族』(人民中国)
『明代の城壁に囲まれた辺境要塞の地スウンチュ』(劉世昭/人民中国)
『中国世界遺産の旅3 四川・雲南・チベット』(工藤元男編著/講談社)
『週刊中国悠遊紀行九寨溝』(小学館)
『ヒャルチベット語九寨溝・玉瓦「gZhungwa」方言の音声分析』(鈴木博之/アジア・アフリカの言語と言語学)
『「周縁」を生き抜く僧侶たち:四川省チベット社会におけるボン教僧院の事例から』(小西賢吾/勉誠出版)
『宗教復興とグローバル化を経た「辺境」のいま』(小西賢吾/中国21)
『チベット諸族の歴史と東アジア世界』(川勝守/刀水書房)
『週刊中国悠遊紀行九寨溝』(小学館)
『中国・青藏高原東部の少数民族に関する民族学的研究』(松岡正子)
『四川秘境紀行』(「天の国四川秘境紀行」編集委員会編集/日中通信社)
『九寨沟志』(张善云・黄天鹗修纂/四川民族出版社)
『南坪县志』(南坪县地方志编纂委员会编/民族出版社)
『松潘县志』(四川省阿坝藏族羌族自治州松潘县志编纂委员会编/民族出版社)
『茶马古道的松潘回族与伊斯兰教』(张泽洪/北方民族大学学报)
『神話世界九寨溝』(四川人民出版社)
『岩波現代中国事典』(天児慧編/岩波書店)
『世界大百科事典』(平凡社)
阿坝藏族羌族自治州人民政府http://www.abazhou.gov.cn/
九寨沟县人民政府http://www.jzg.gov.cn/
九寨沟景区官方网站https://www.jiuzhai.com/
黄龙景区官方网站https://www.huanglong.com/
松潘县人民政府http://www.songpan.gov.cn/
OpenStreetMap
(C)OpenStreetMap contributors

まちごとパブリッシングの旅行ガイド

Machigoto INDIA , Machigoto ASIA , Machigoto CHINA

北インド-まちごとインド

001　はじめての北インド
002　はじめてのデリー
003　オールド・デリー
004　ニュー・デリー
005　南デリー
012　アーグラ
013　ファテープル・シークリー
014　バラナシ
015　サールナート
022　カージュラホ
032　アムリトサル

西インド-まちごとインド

001　はじめてのラジャスタン
002　ジャイプル
003　ジョードプル
004　ジャイサルメール
005　ウダイプル
006　アジメール(プシュカル)
007　ビカネール
008　シェカワティ
011　はじめてのマハラシュトラ
012　ムンバイ
013　プネー
014　アウランガバード
015　エローラ
016　アジャンタ
021　はじめてのグジャラート
022　アーメダバード
023　ヴァドダラー(チャンパネール)
024　ブジ(カッチ地方)

東インド-まちごとインド

002　コルカタ
012　ブッダガヤ

南インド-まちごとインド

001　はじめてのタミルナードゥ
002　チェンナイ
003　カーンチプラム
004　マハーバリプラム

005　タンジャヴール
006　クンバコナムとカーヴェリー・デルタ
007　ティルチラパッリ
008　マドゥライ
009　ラーメシュワラム
010　カニャークマリ
021　はじめてのケーララ
022　ティルヴァナンタプラム
023　バックウォーター（コッラム〜アラップーザ）
024　コーチ（コーチン）
025　トリシュール

ネパール-まちごとアジア

001　はじめてのカトマンズ
002　カトマンズ
003　スワヤンブナート
004　パタン
005　バクタプル
006　ポカラ
007　ルンビニ
008　チトワン国立公園

バングラデシュ-まちごとアジア

001　はじめてのバングラデシュ
002　ダッカ
003　バゲルハット（クルナ）
004　シュンドルボン
005　プティア
006　モハスタン（ボグラ）
007　パハルプール

パキスタン-まちごとアジア

002　フンザ
003　ギルギット（KKH）
004　ラホール
005　ハラッパ
006　ムルタン

イラン-まちごとアジア

001　はじめてのイラン
002　テヘラン
003　イスファハン
004　シーラーズ
005　ペルセポリス
006　パサルガダエ（ナグシェ・ロスタム）
007　ヤズド
008　チョガ・ザンビル（アフヴァーズ）
009　タブリーズ
010　アルダビール

北京-まちごとチャイナ

001　はじめての北京
002　故宮（天安門広場）
003　胡同と旧皇城
004　天壇と旧崇文区
005　瑠璃廠と旧宣武区
006　王府井と市街東部
007　北京動物園と市街西部
008　頤和園と西山
009　盧溝橋と周口店
010　万里の長城と明十三陵

天津-まちごとチャイナ

001　はじめての天津
002　天津市街
003　浜海新区と市街南部
004　薊県と清東陵

上海-まちごとチャイナ

001　はじめての上海
002　浦東新区
003　外灘と南京東路
004　淮海路と市街西部
005　虹口と市街北部
006　上海郊外(龍華・七宝・松江・嘉定)
007　水郷地帯(朱家角・周荘・同里・甪直)

河北省-まちごとチャイナ

001　はじめての河北省
002　石家荘
003　秦皇島
004　承徳
005　張家口
006　保定
007　邯鄲

江蘇省-まちごとチャイナ

001　はじめての江蘇省
002　はじめての蘇州
003　蘇州旧城
004　蘇州郊外と開発区
005　無錫
006　揚州
007　鎮江
008　はじめての南京
009　南京旧城
010　南京紫金山と下関
011　雨花台と南京郊外・開発区
012　徐州

浙江省-まちごとチャイナ

001　はじめての浙江省
002　はじめての杭州
003　西湖と山林杭州
004　杭州旧城と開発区
005　紹興
006　はじめての寧波
007　寧波旧城
008　寧波郊外と開発区
009　普陀山
010　天台山
011　温州

福建省-まちごとチャイナ

001　はじめての福建省
002　はじめての福州
003　福州旧城
004　福州郊外と開発区
005　武夷山
006　泉州

007　厦門

008　客家土楼

広東省-まちごとチャイナ

001　はじめての広東省

002　はじめての広州

003　広州古城

004　天河と広州郊外

005　深圳（深セン）

006　東莞

007　開平（江門）

008　韶関

009　はじめての潮汕

010　潮州

011　汕頭

遼寧省-まちごとチャイナ

001　はじめての遼寧省

002　はじめての大連

003　大連市街

004　旅順

005　金州新区

006　はじめての瀋陽

007　瀋陽故宮と旧市街

008　瀋陽駅と市街地

009　北陵と瀋陽郊外

010　撫順

重慶-まちごとチャイナ

001　はじめての重慶

002　重慶市街

003　三峡下り（重慶～宜昌）

004　大足

005　重慶郊外と開発区

四川省-まちごとチャイナ

001　はじめての四川省

002　はじめての成都

003　成都旧城

004　成都周縁部

005　青城山と都江堰

006　楽山

007　峨眉山

008　九寨溝

香港-まちごとチャイナ

001　はじめての香港

002　中環と香港島北岸

003　上環と香港島南岸

004　尖沙咀と九龍市街

005　九龍城と九龍郊外

006　新界

007　ランタオ島と島嶼部

マカオ-まちごとチャイナ

001 はじめてのマカオ
002 セナド広場とマカオ中心部
003 媽閣廟とマカオ半島南部
004 東望洋山とマカオ半島北部
005 新口岸とタイパ・コロアン

Juo-Mujin(電子書籍のみ)

Juo-Mujin香港縦横無尽
Juo-Mujin北京縦横無尽
Juo-Mujin上海縦横無尽
Juo-Mujin台北縦横無尽
見せよう! 上海で中国語
見せよう! 蘇州で中国語
見せよう! 杭州で中国語
見せよう! デリーでヒンディー語
見せよう! タージマハルでヒンディー語
見せよう! 砂漠のラジャスタンでヒンディー語

自力旅游中国Tabisuru CHINA

001 バスに揺られて「自力で長城」
002 バスに揺られて「自力で石家荘」
003 バスに揺られて「自力で承徳」
004 船に揺られて「自力で普陀山」
005 バスに揺られて「自力で天台山」
006 バスに揺られて「自力で秦皇島」
007 バスに揺られて「自力で張家口」
008 バスに揺られて「自力で邯鄲」
009 バスに揺られて「自力で保定」
010 バスに揺られて「自力で清東陵」
011 バスに揺られて「自力で潮州」
012 バスに揺られて「自力で汕頭」
013 バスに揺られて「自力で温州」
014 バスに揺られて「自力で福州」
015 メトロに揺られて「自力で深圳」

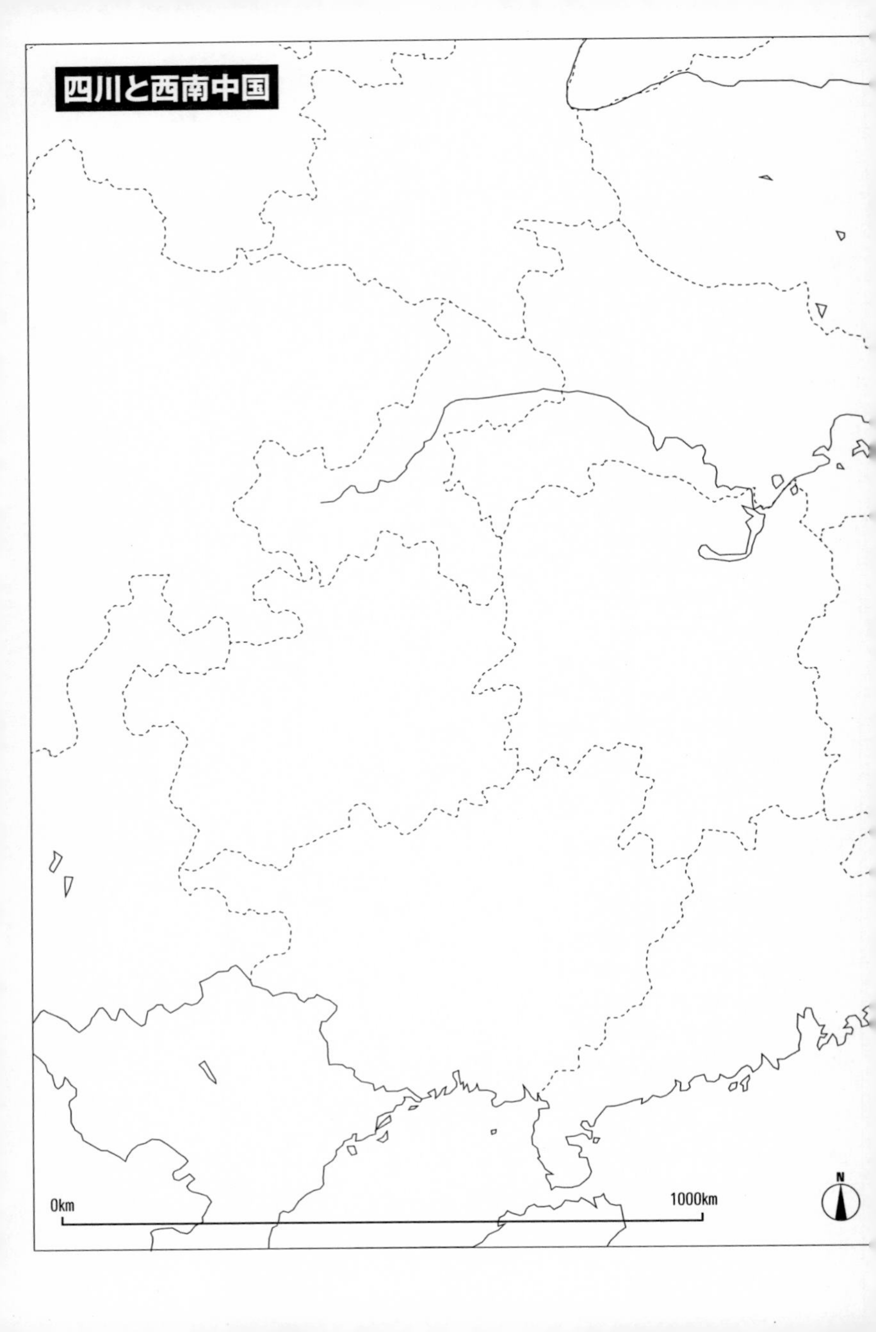
四川と西南中国
0km
1000km
N

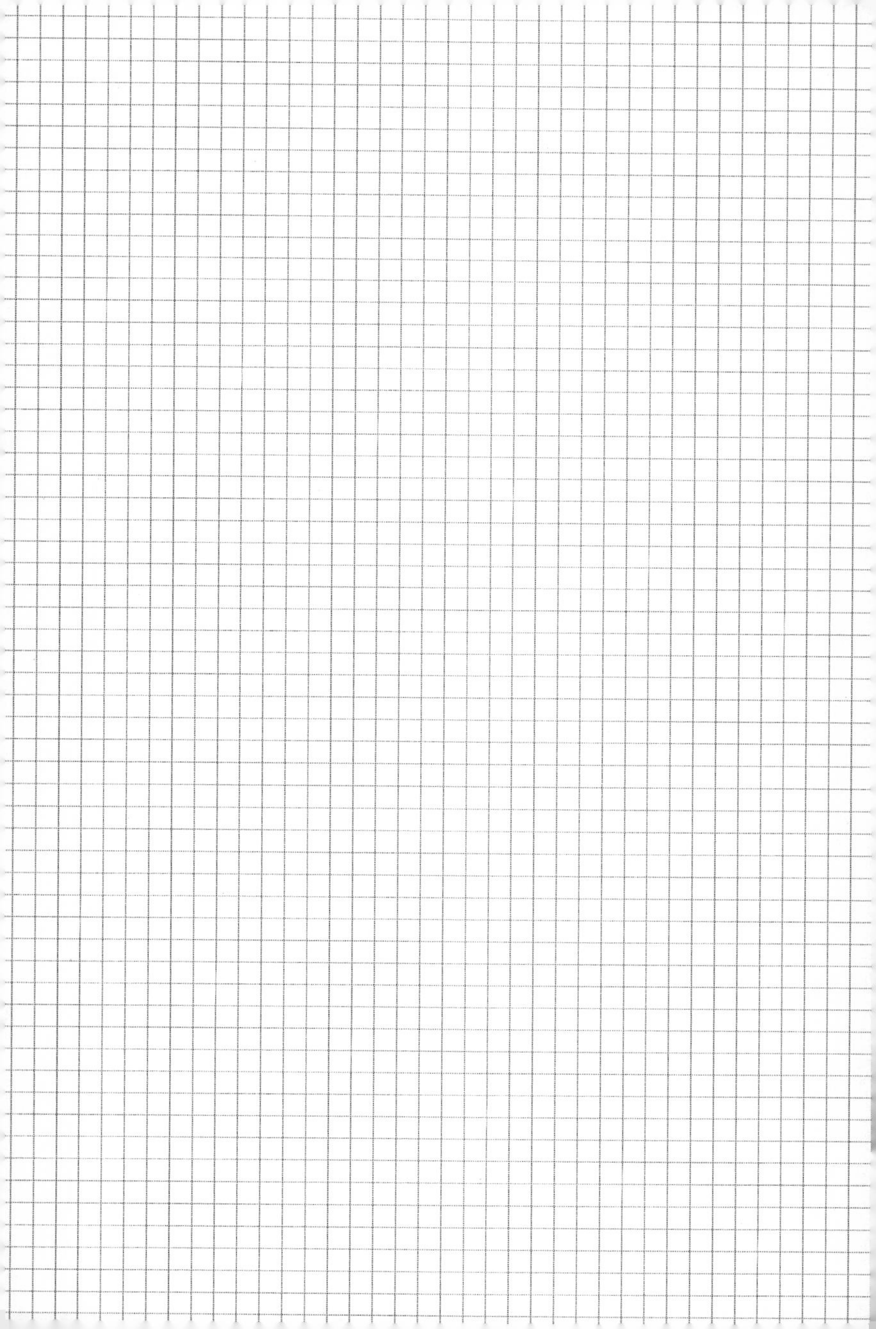

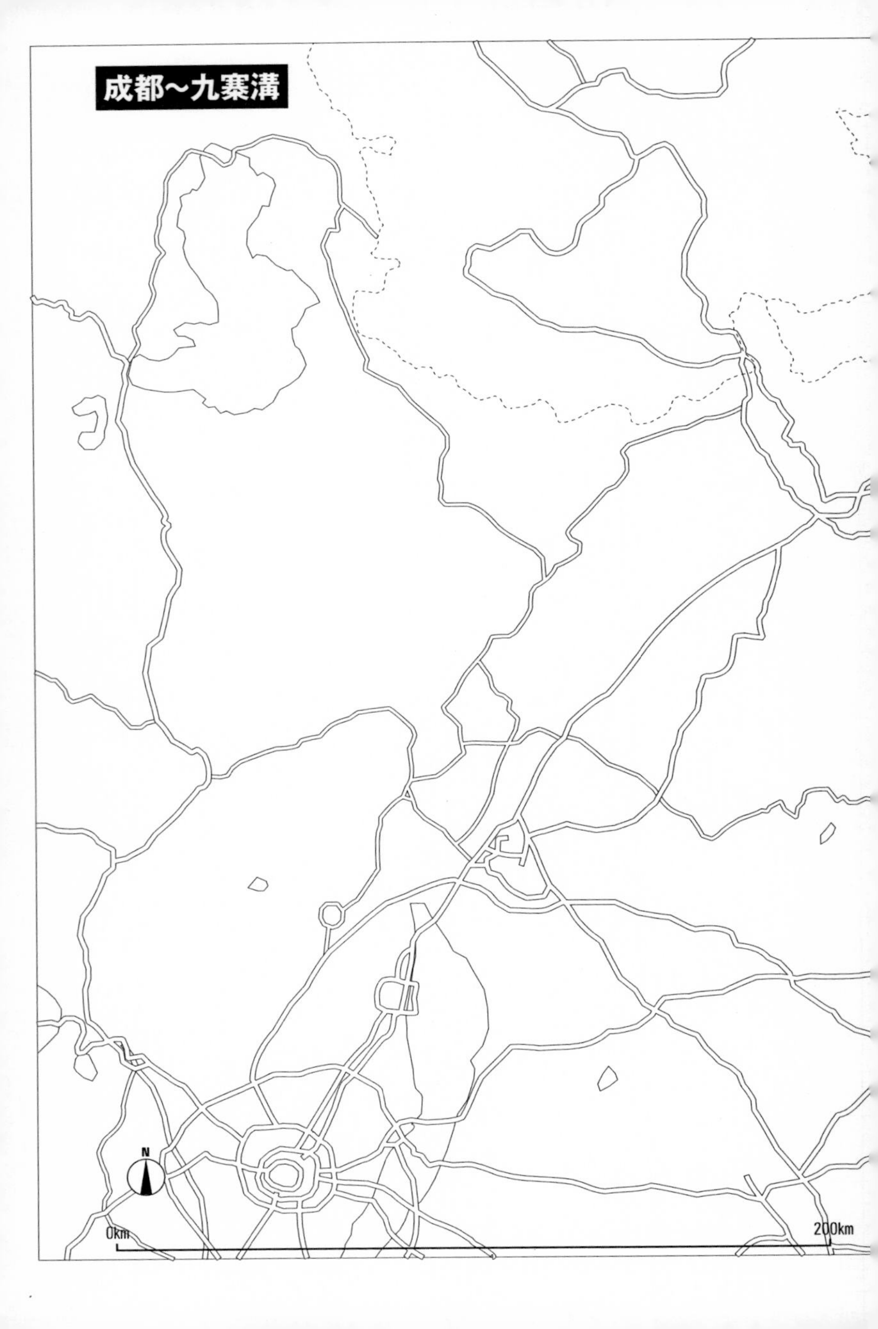
成都～九寨溝
N
0km
200km

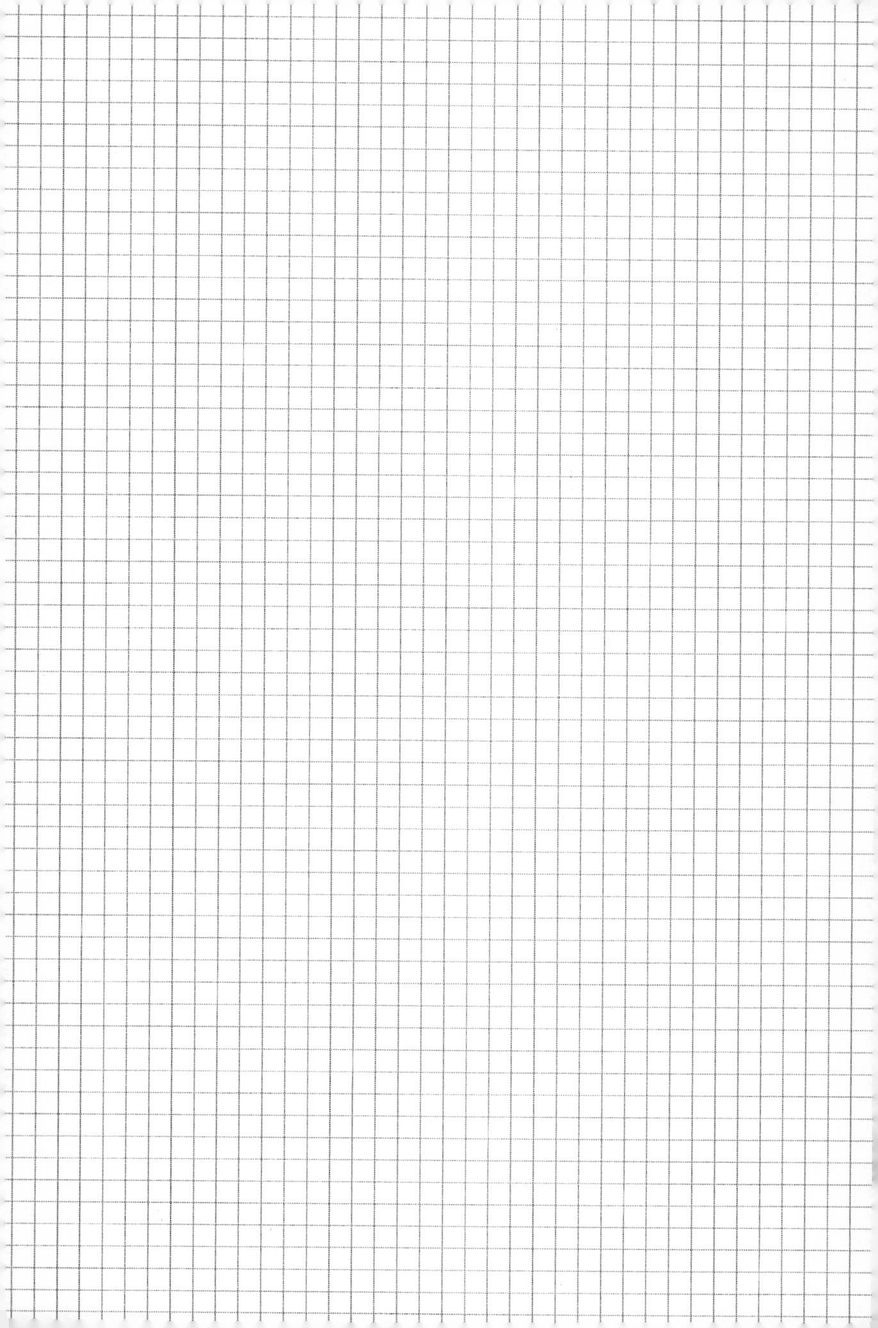

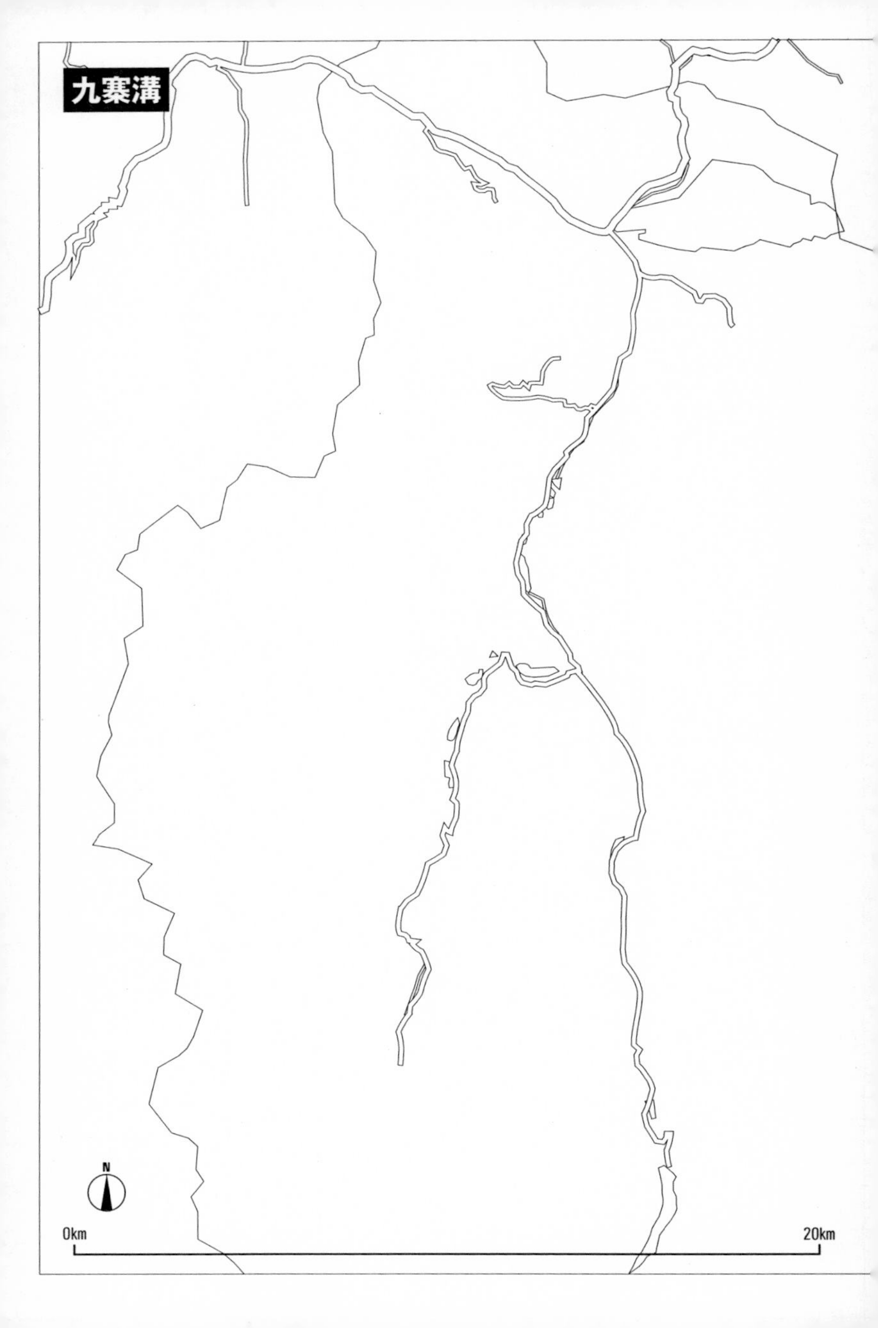
九寨溝
N
0km
20km

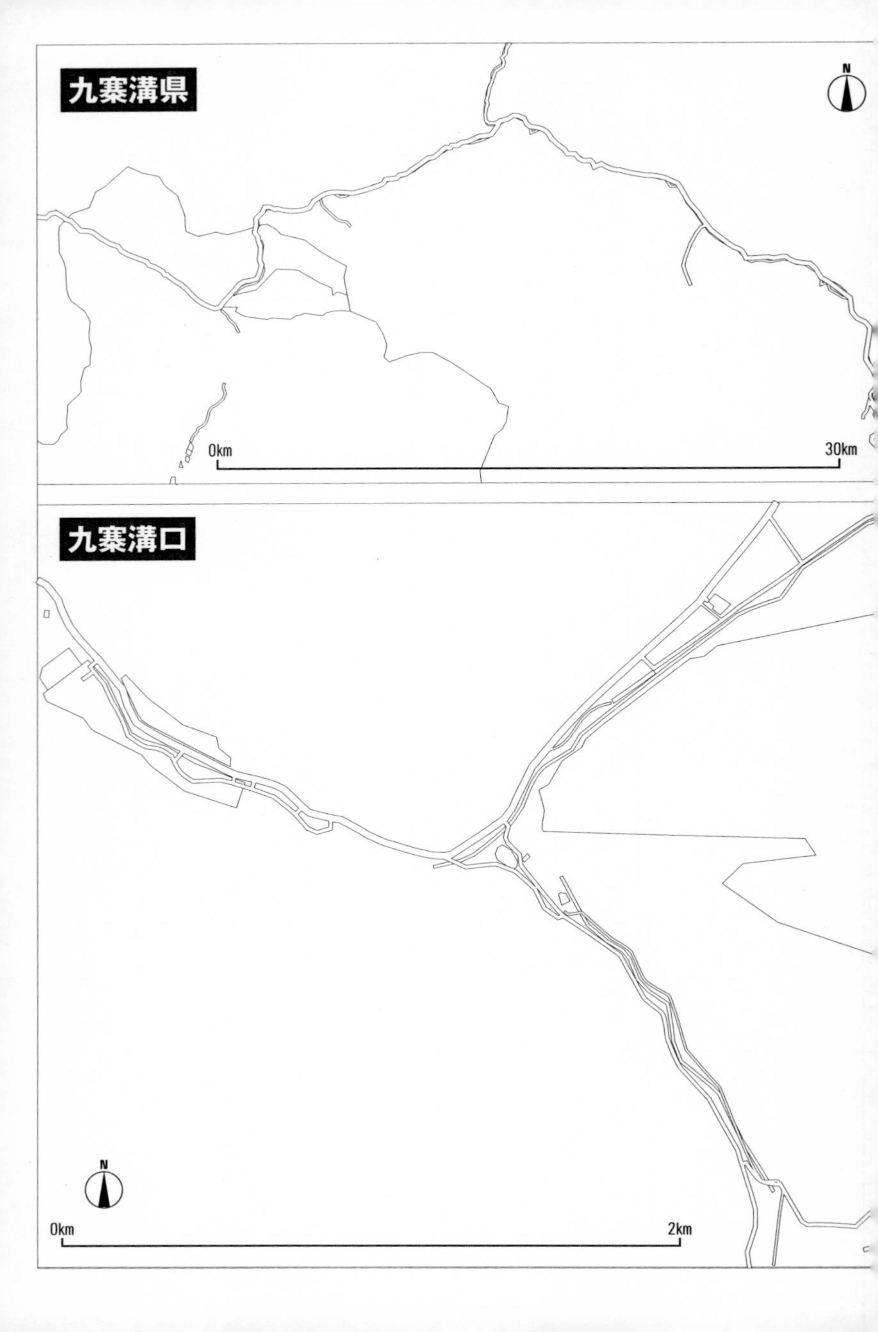
九寨溝県
N
0km
30km
九寨溝口
N
0km
2km

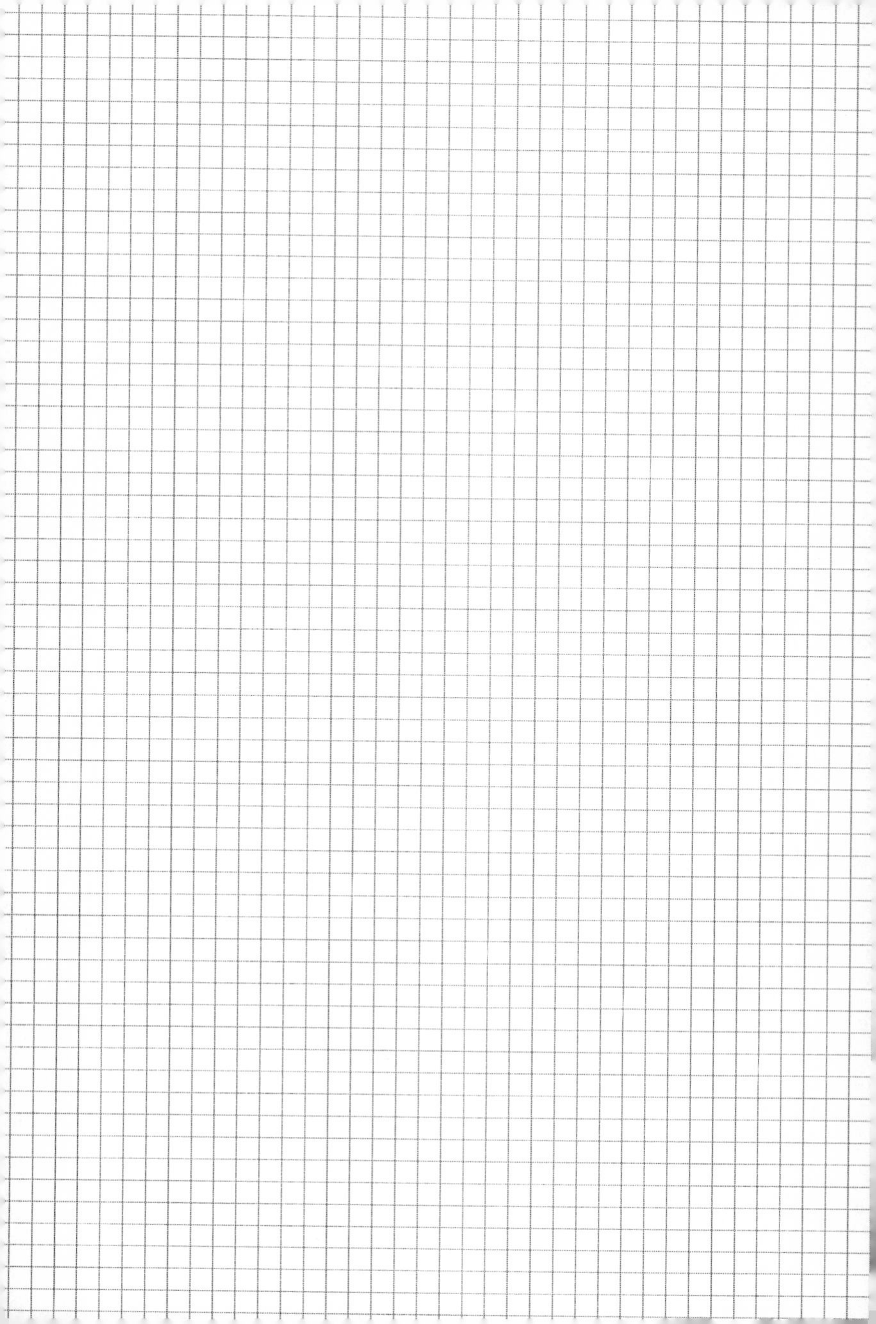

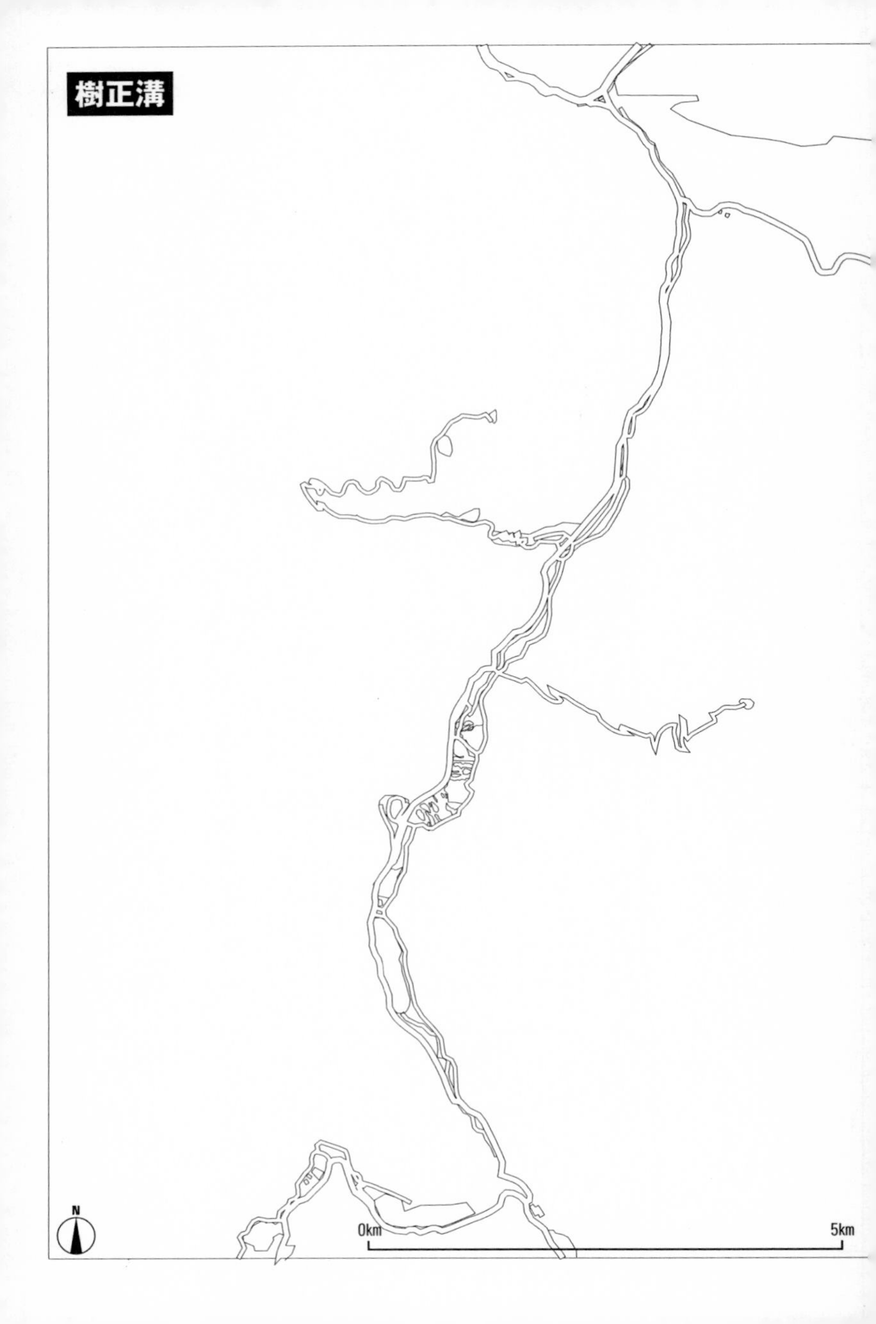
樹正溝
N
0km
5km

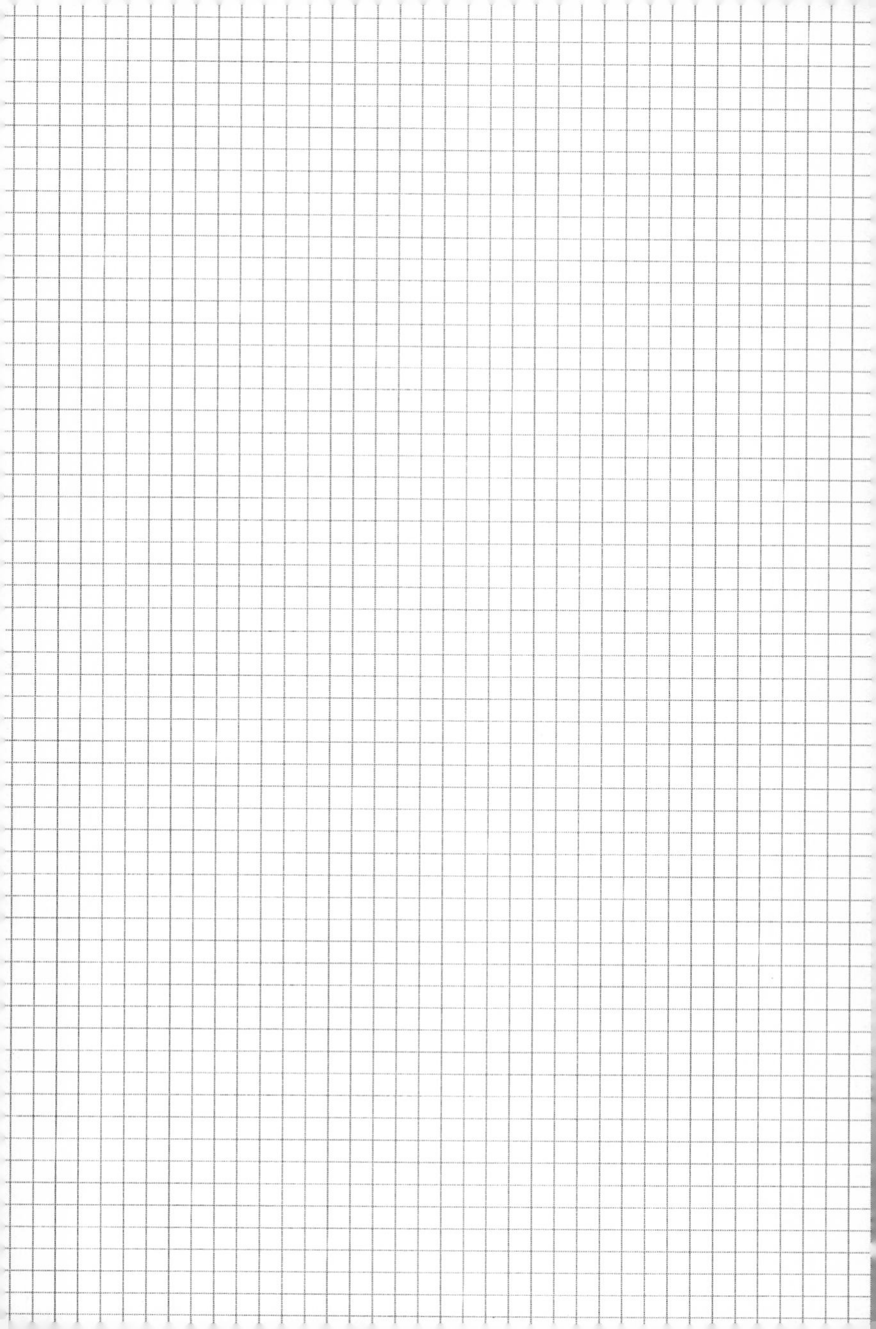

樹正群海
N
0km
1km

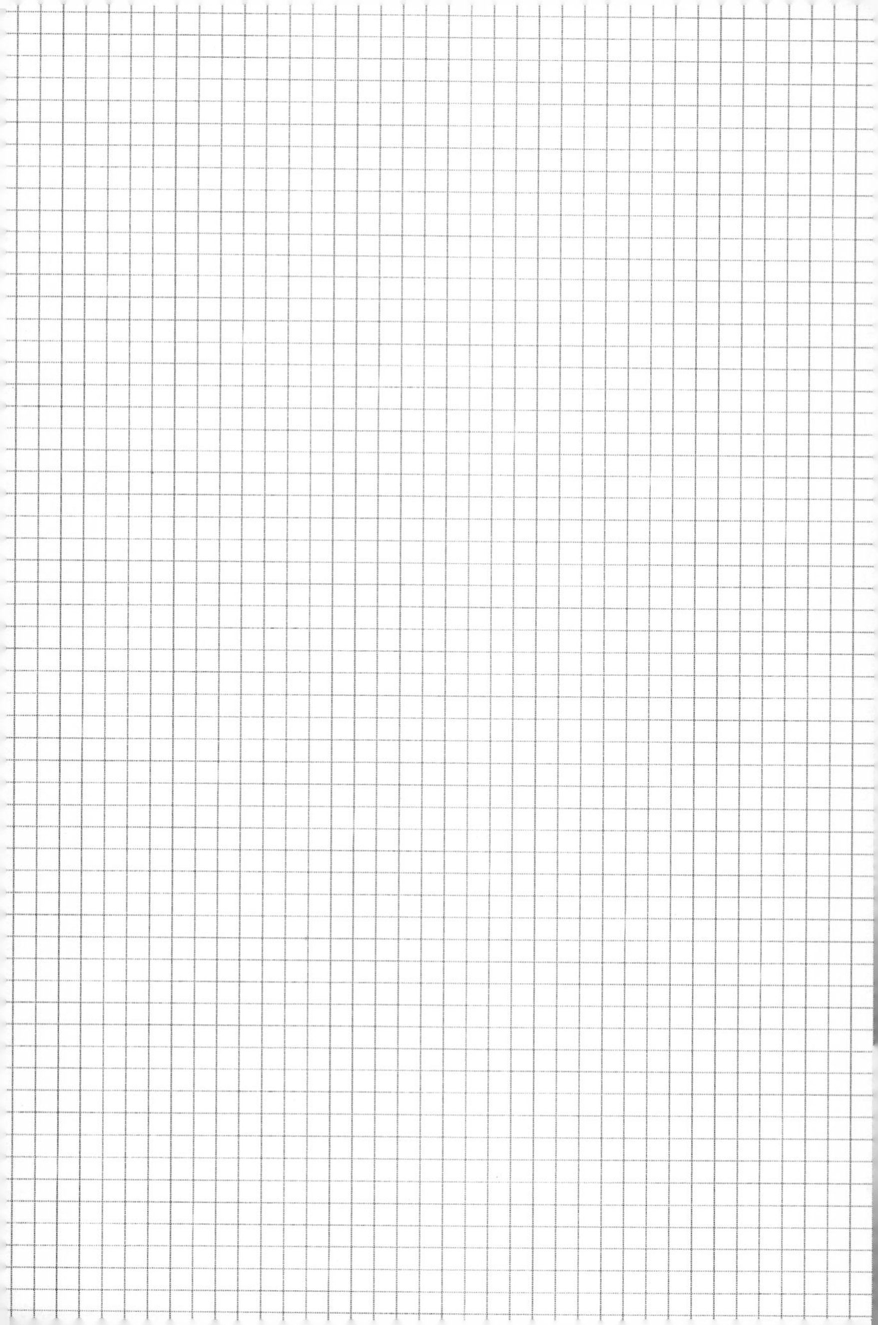

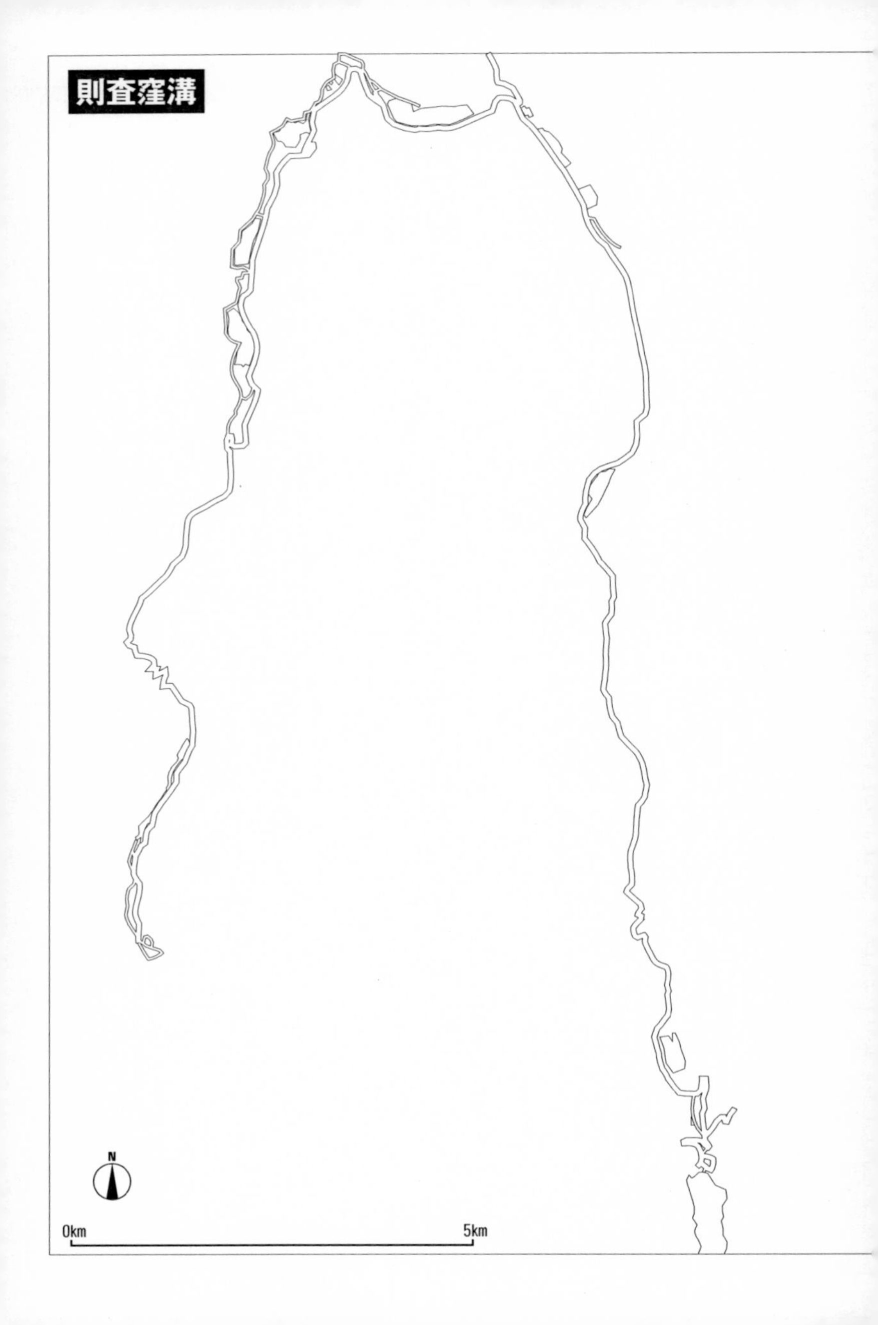
則査窪溝
N
0km
5km

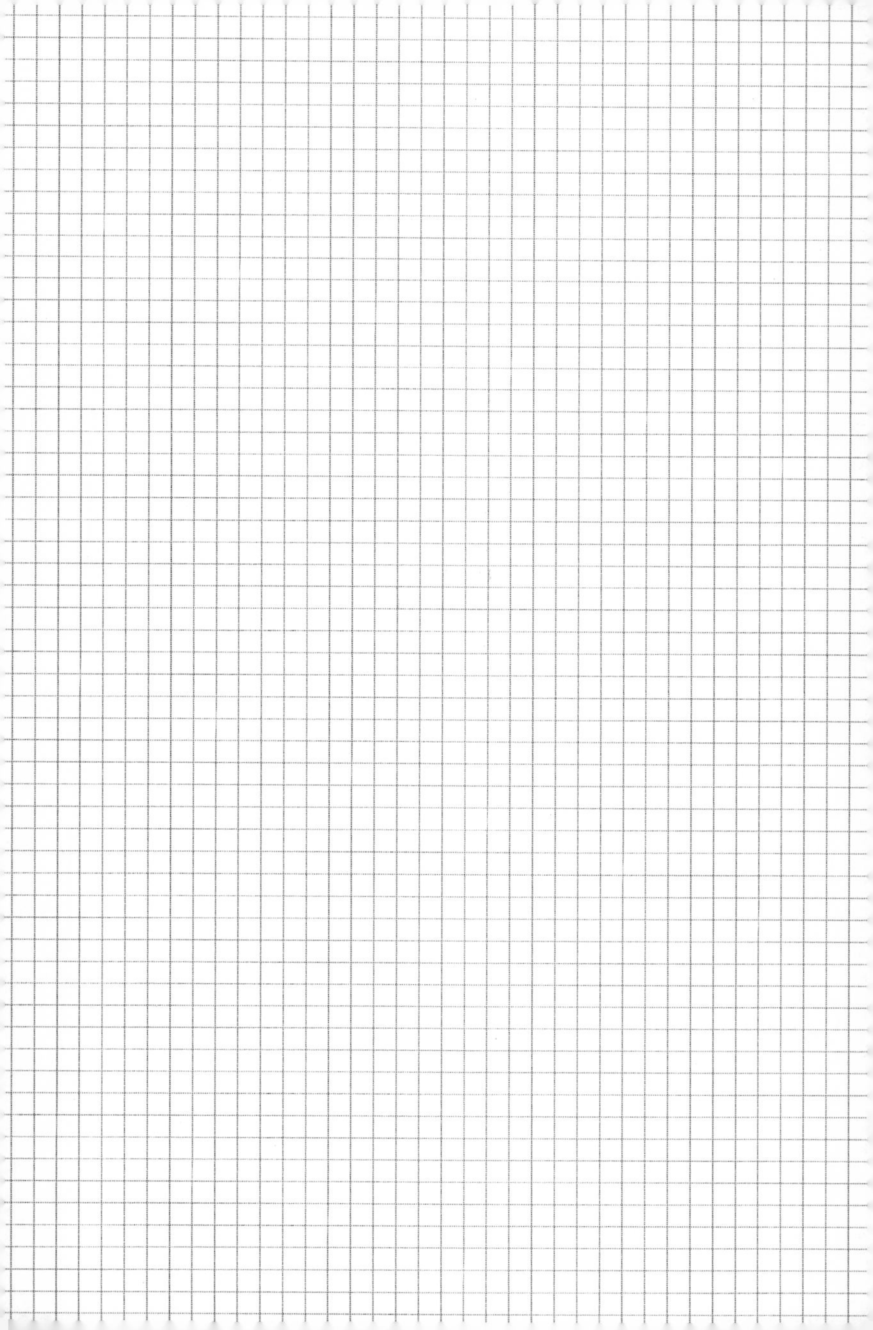

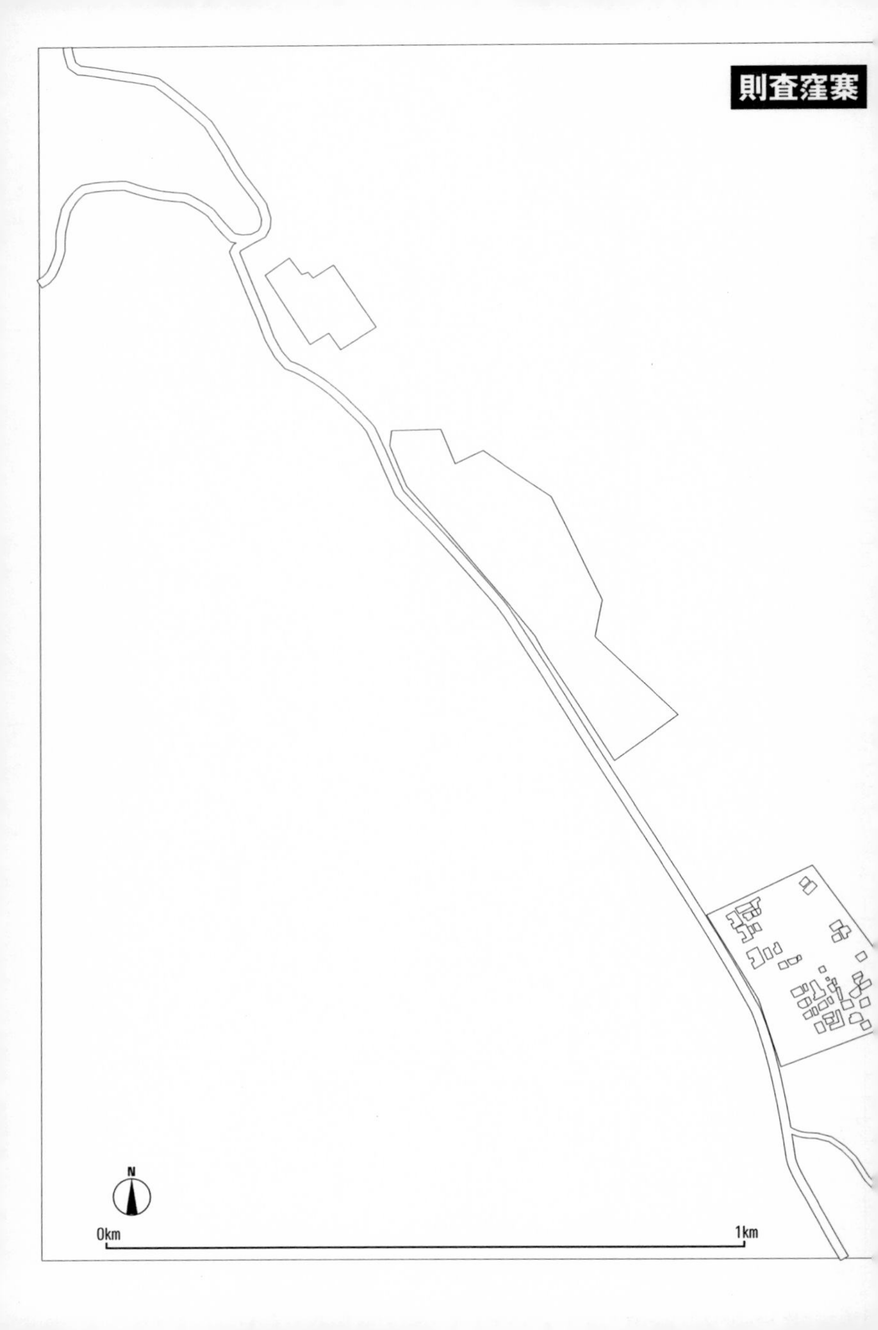
則査窪寨
N
0km
1km

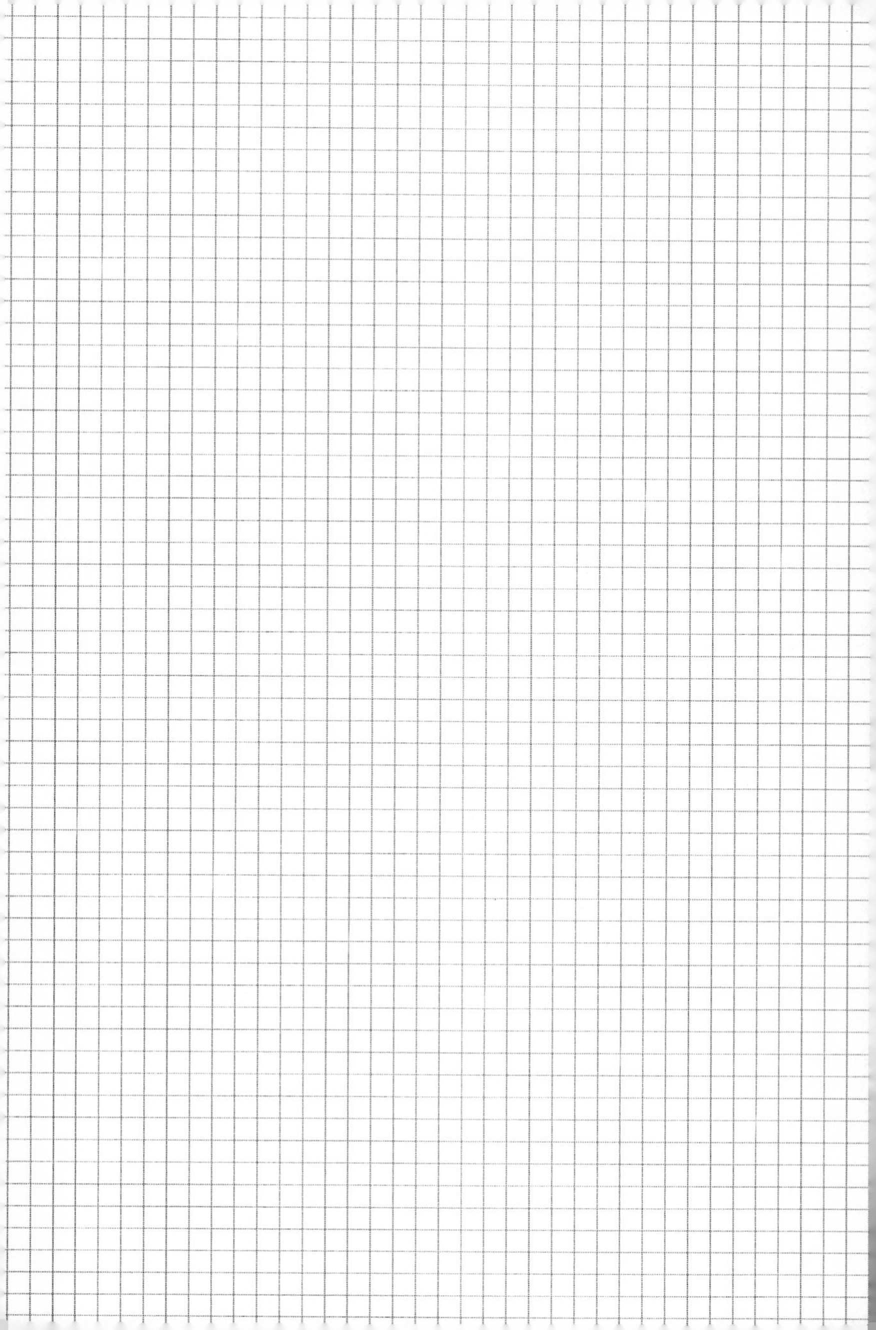

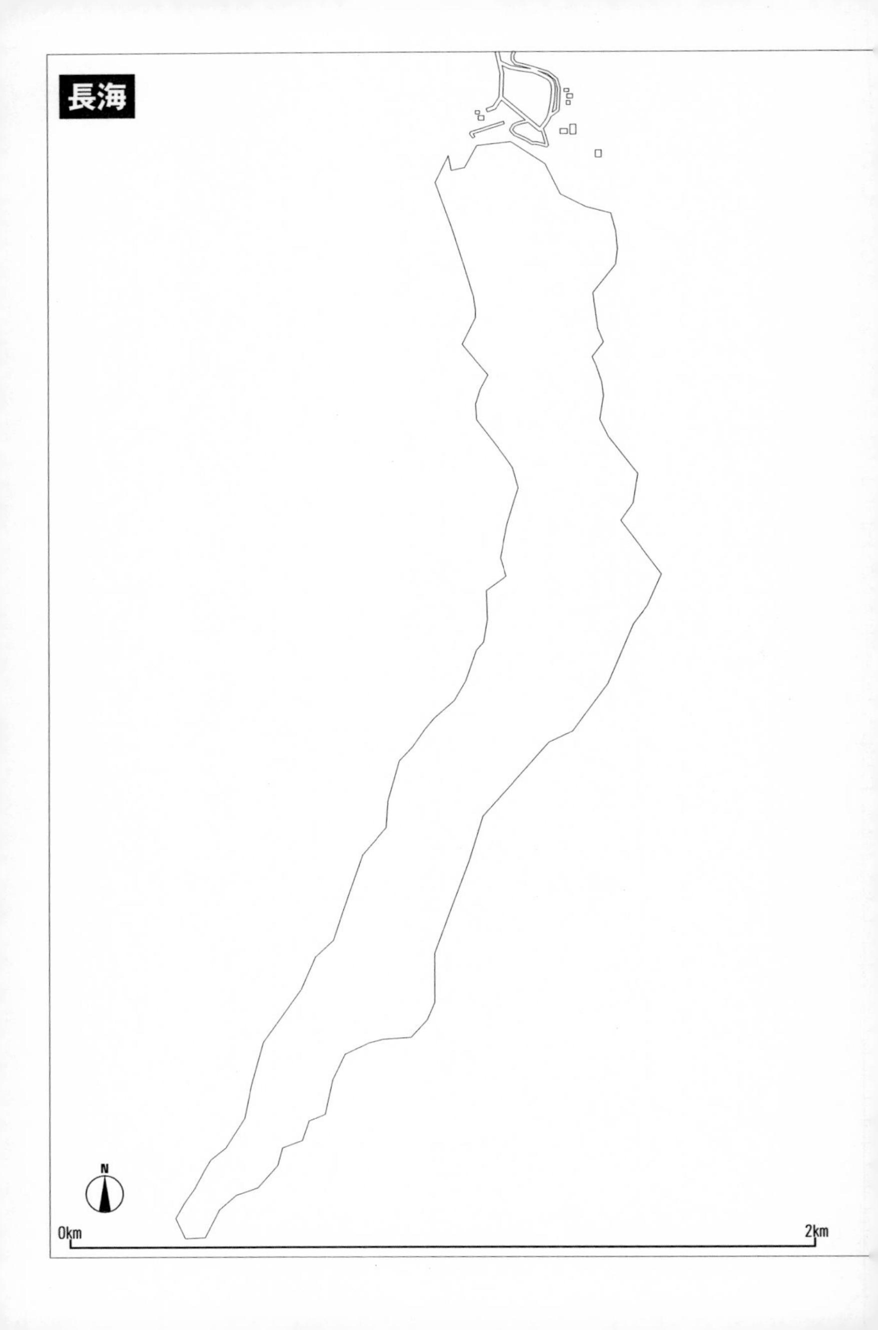
長海
N
0km
2km

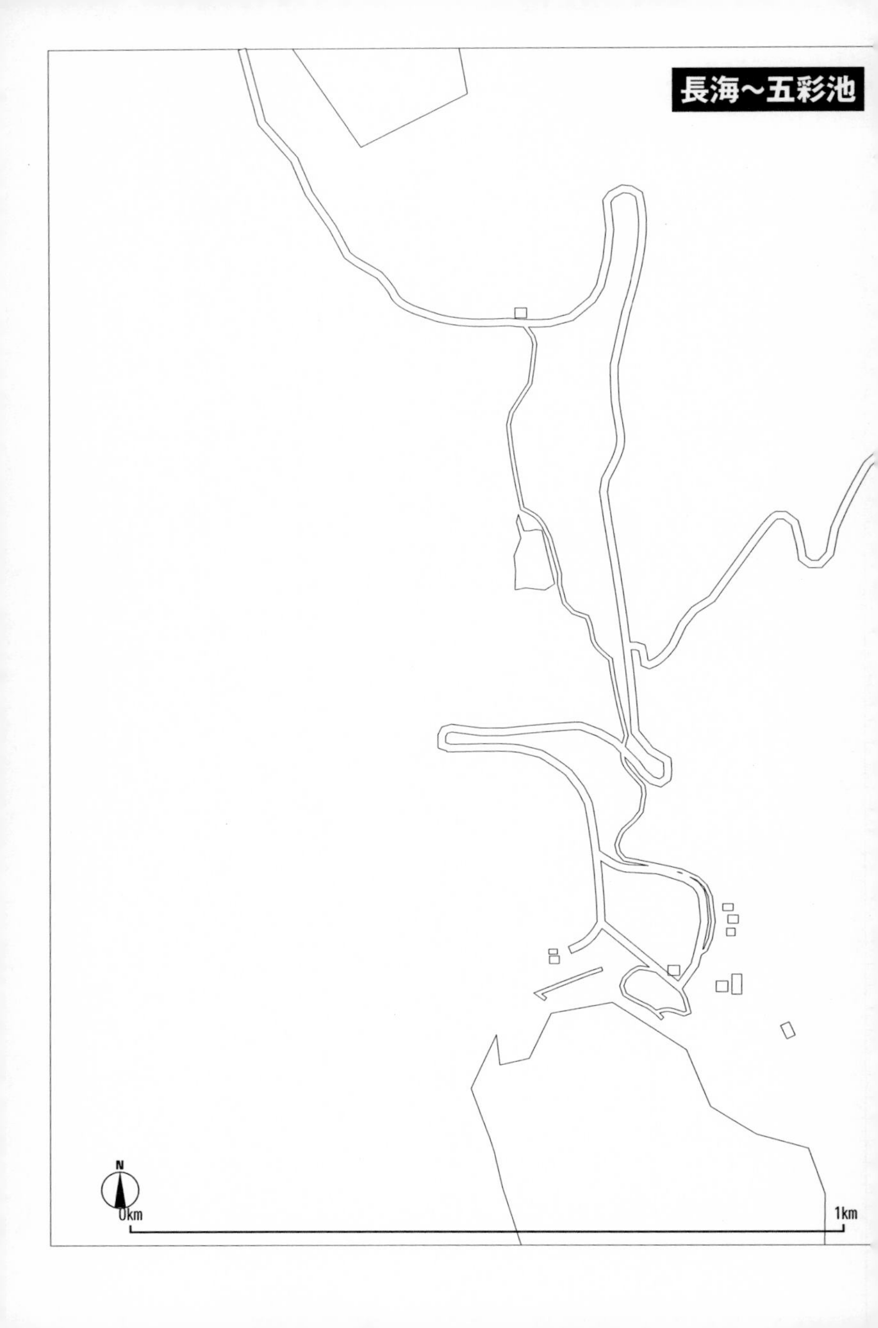
長海～五彩池
N
0km
1km

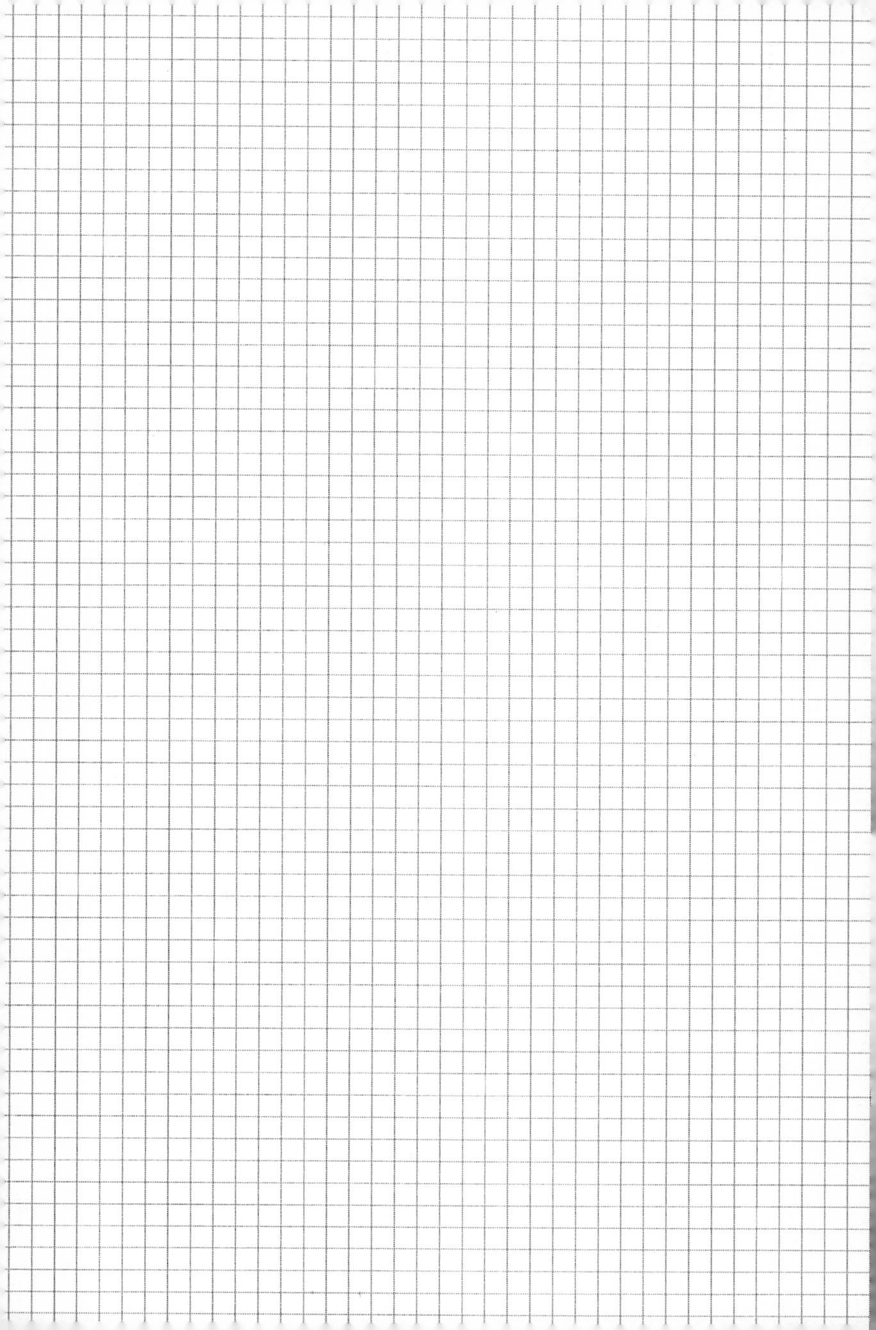

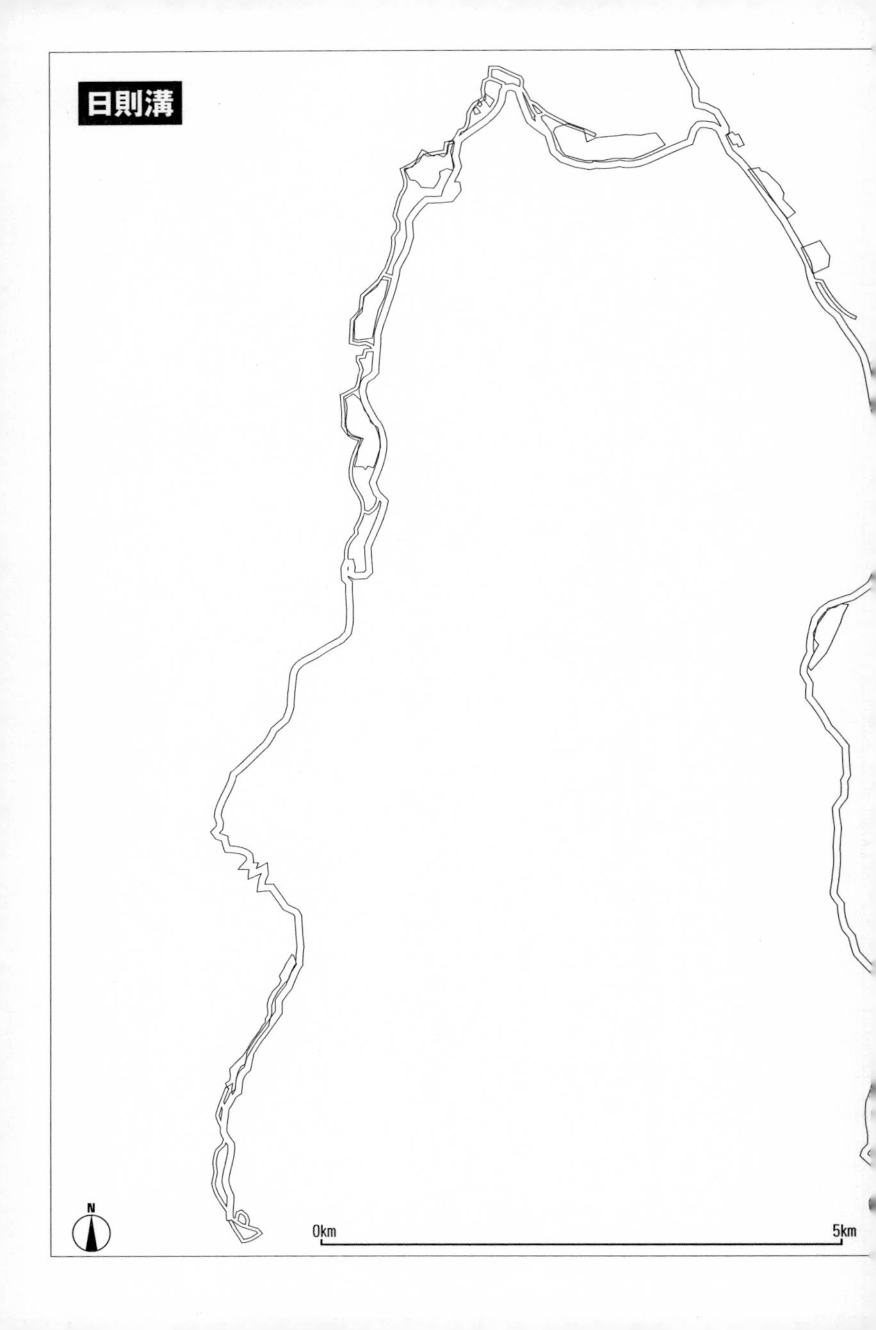

日則溝
N
0km
5km

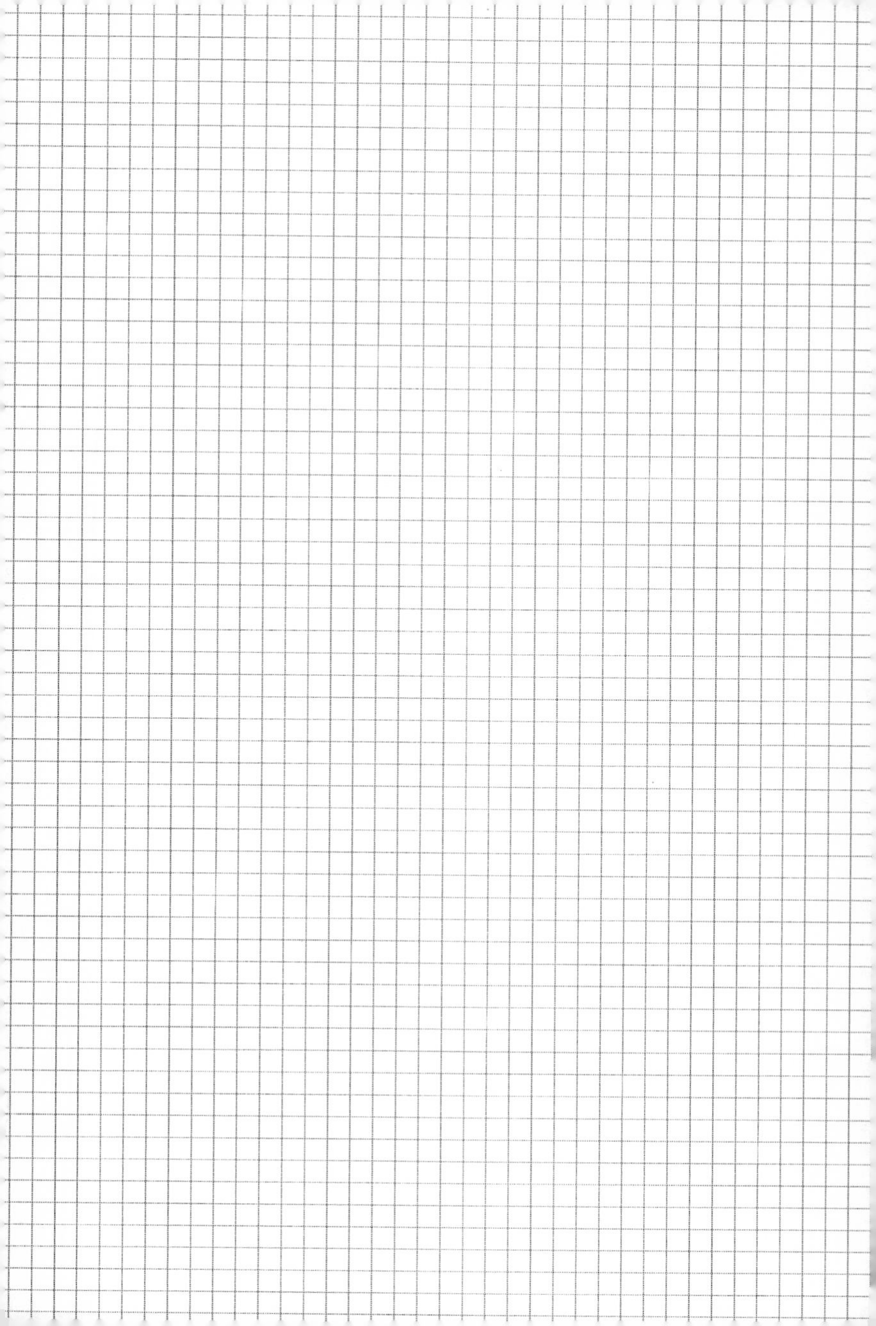

諸日朗～熊猫海
0km
3km
N

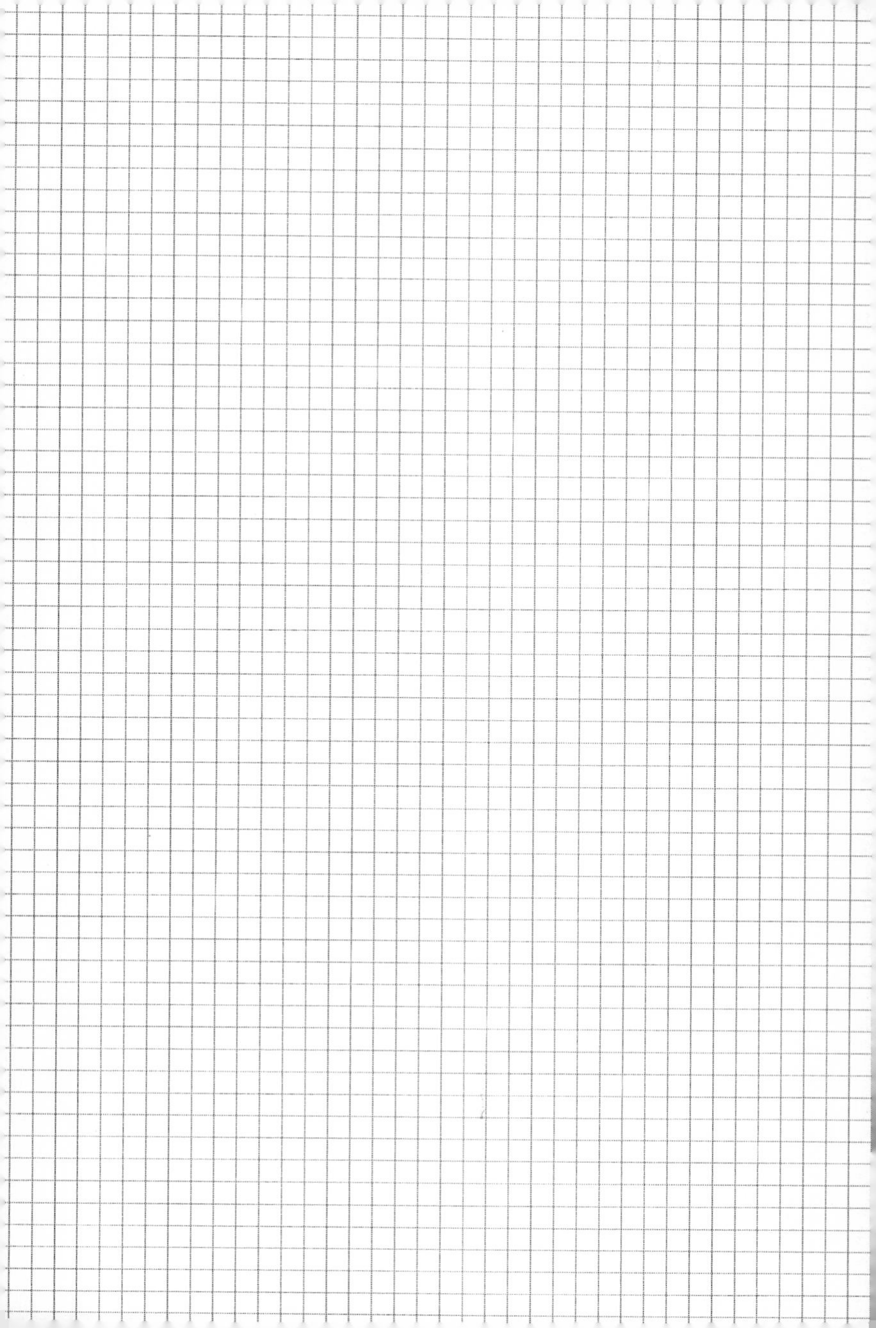

扎如溝
N
0km
3km

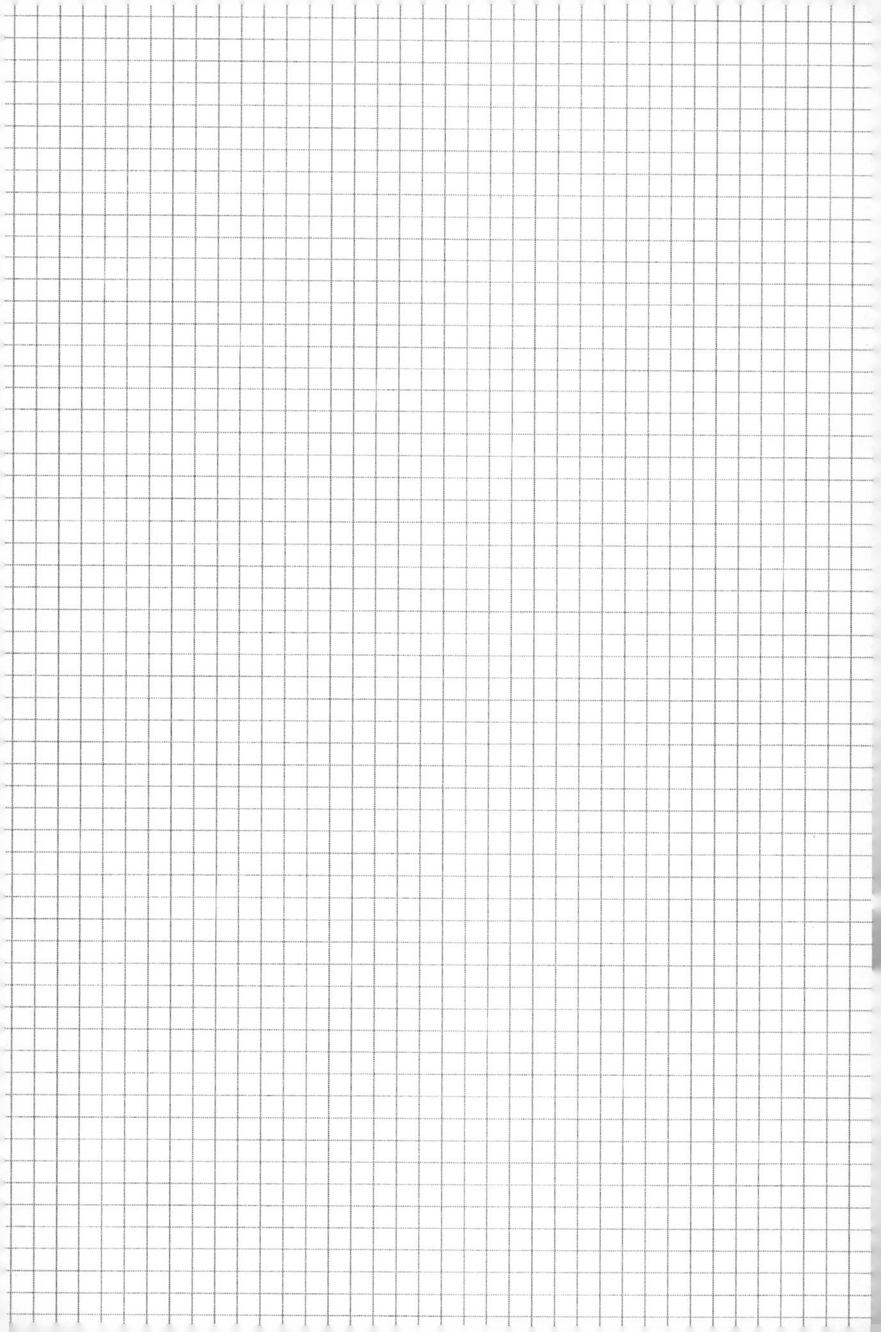

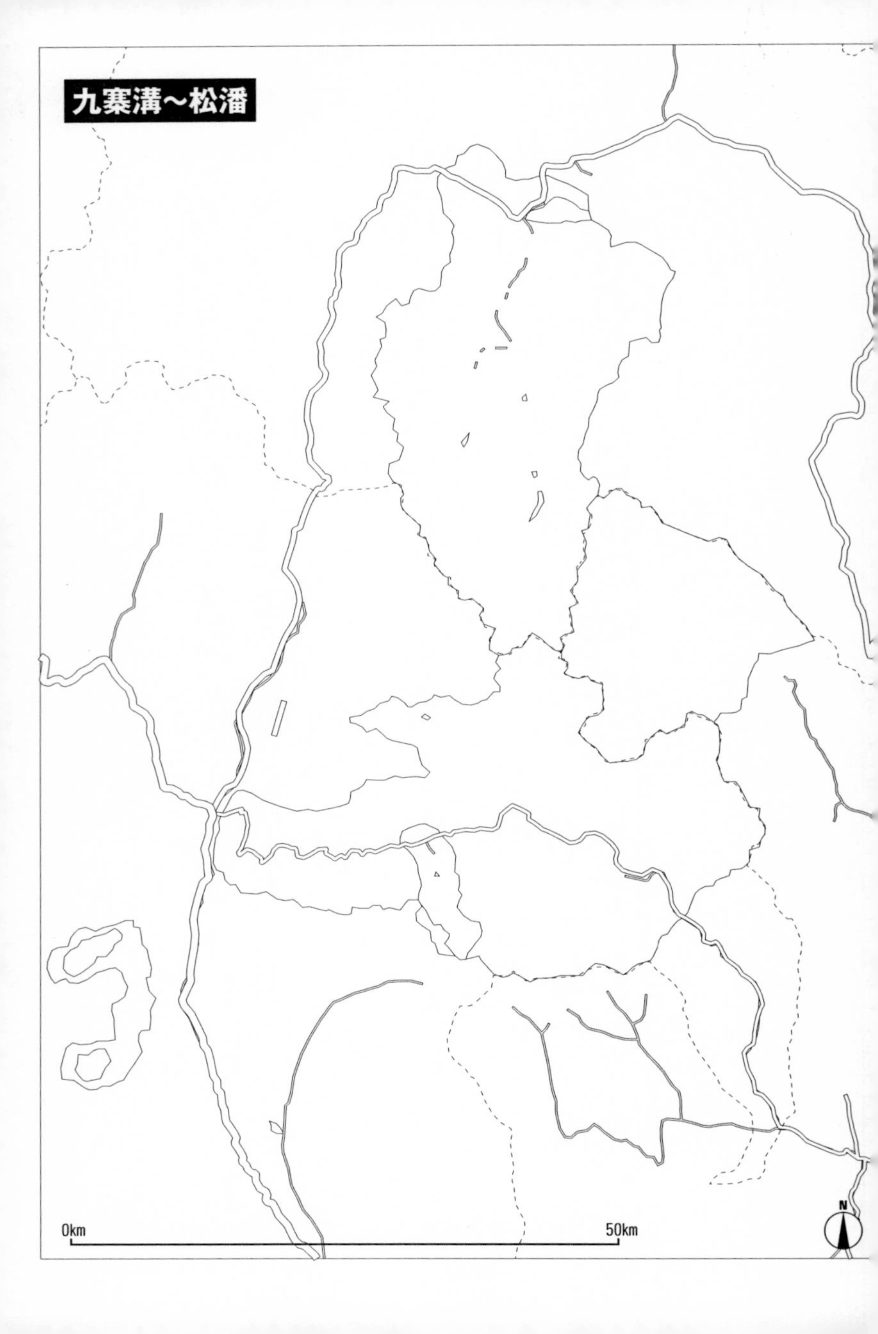

九寨溝～松潘
0km
50km
N

松潘
N
0m
500m

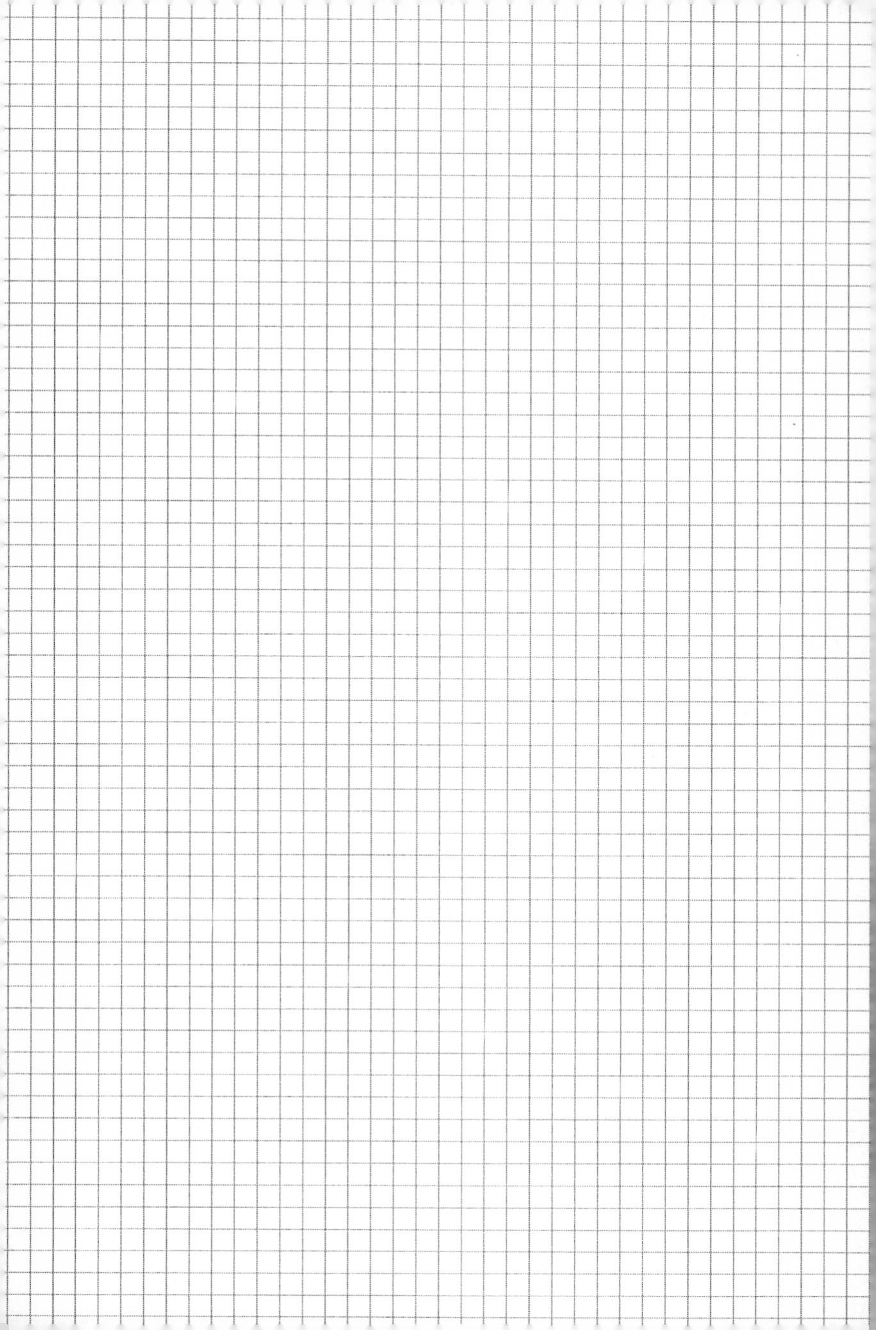

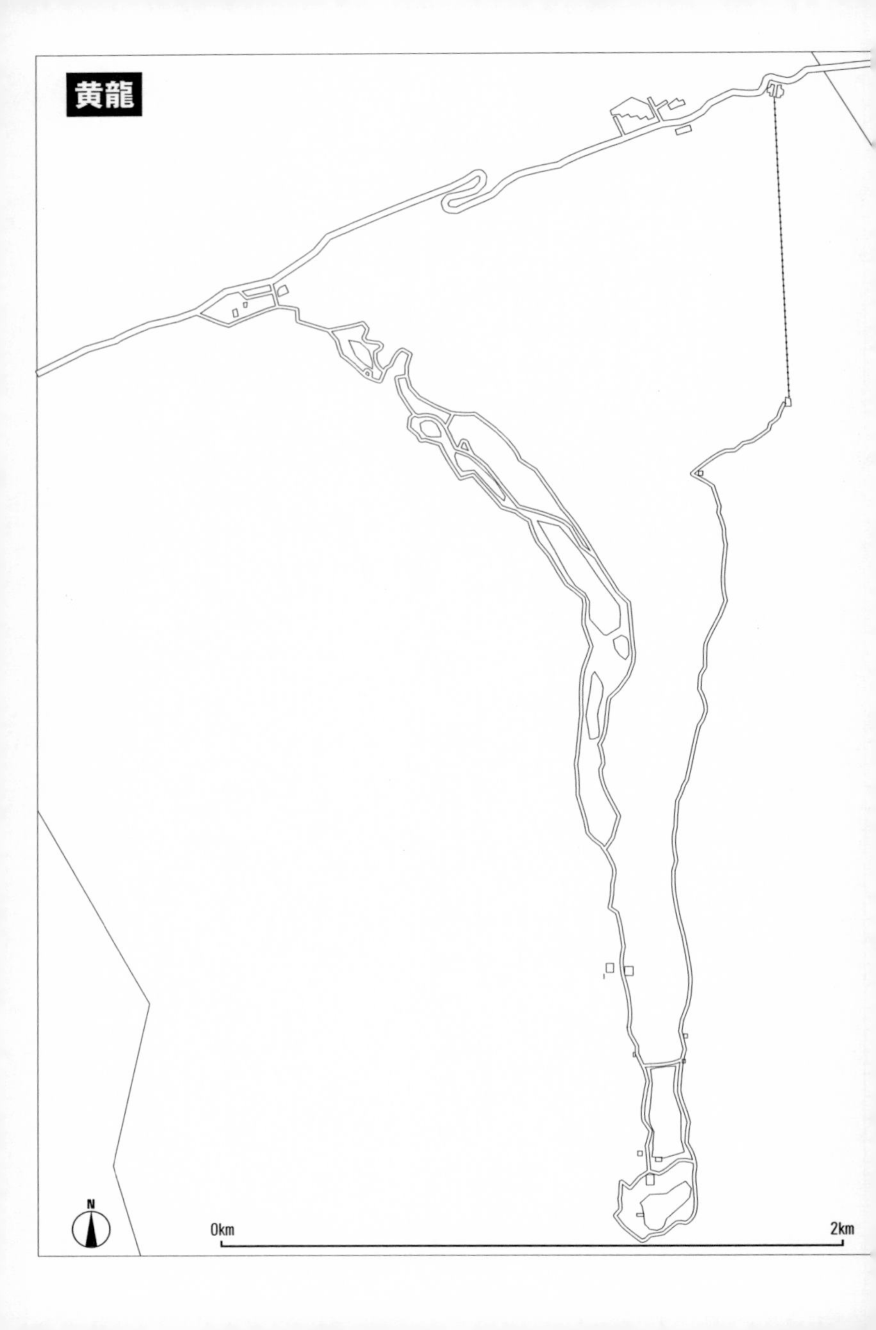

黄龍
N
0km
2km

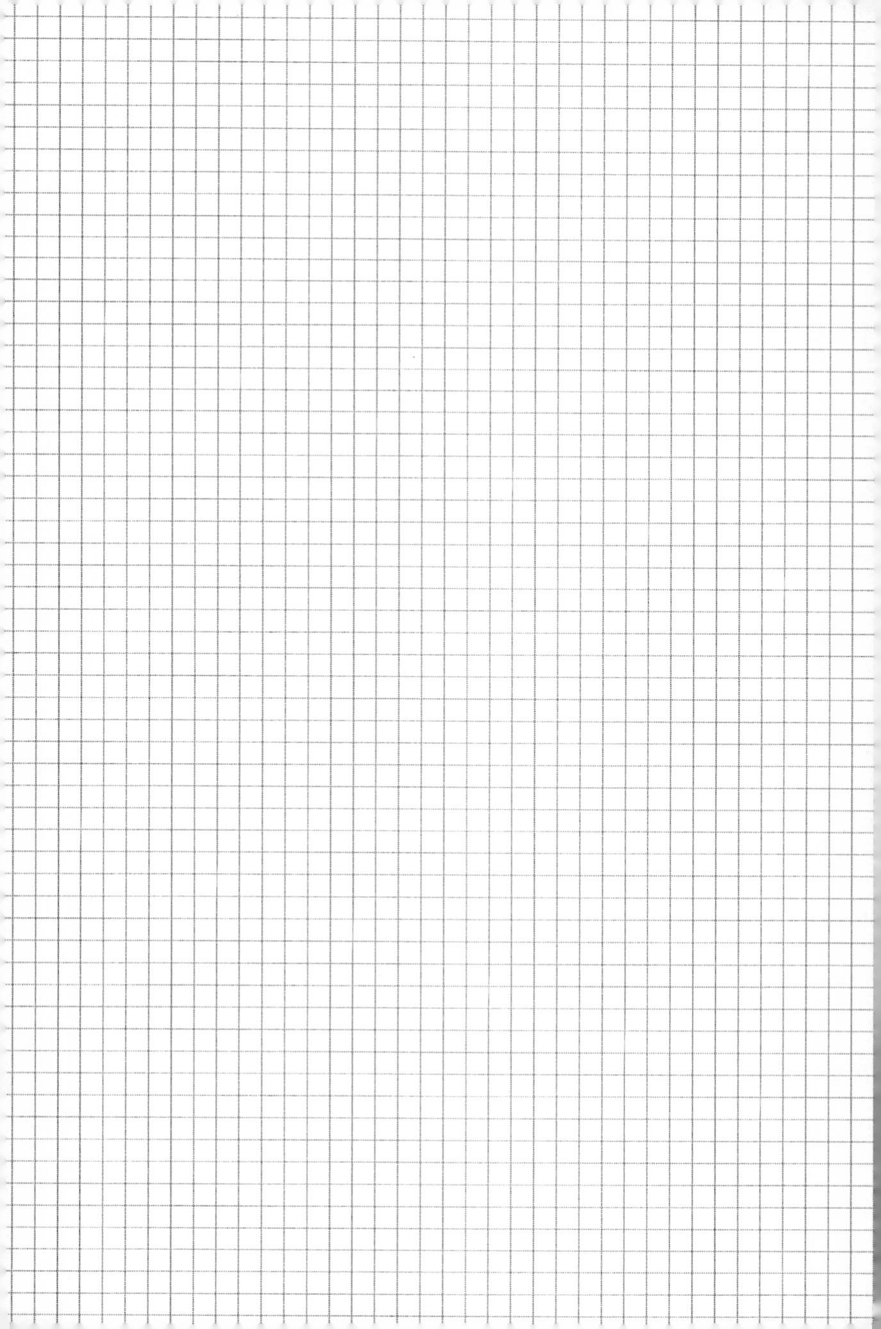

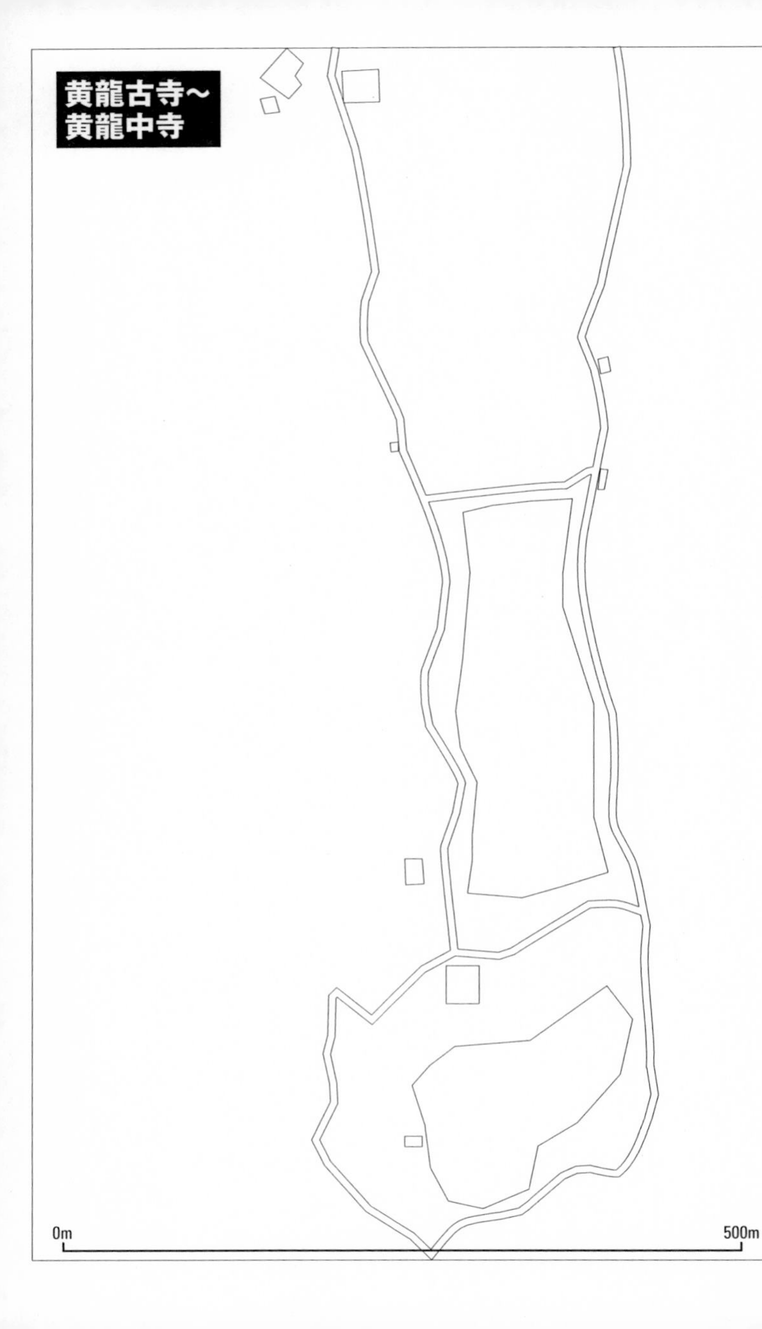
黄龍古寺～
黄龍中寺
0m
500m
N

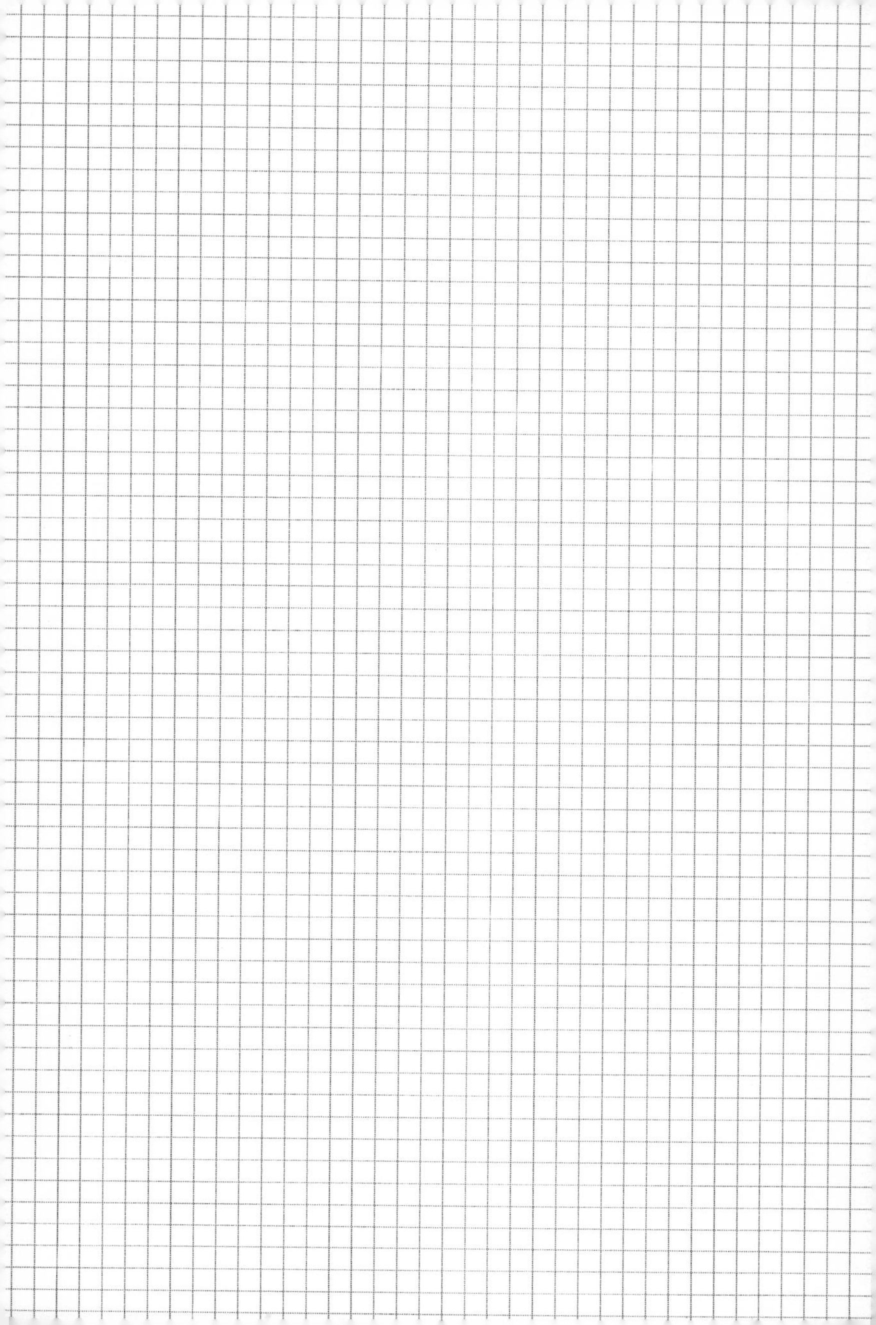

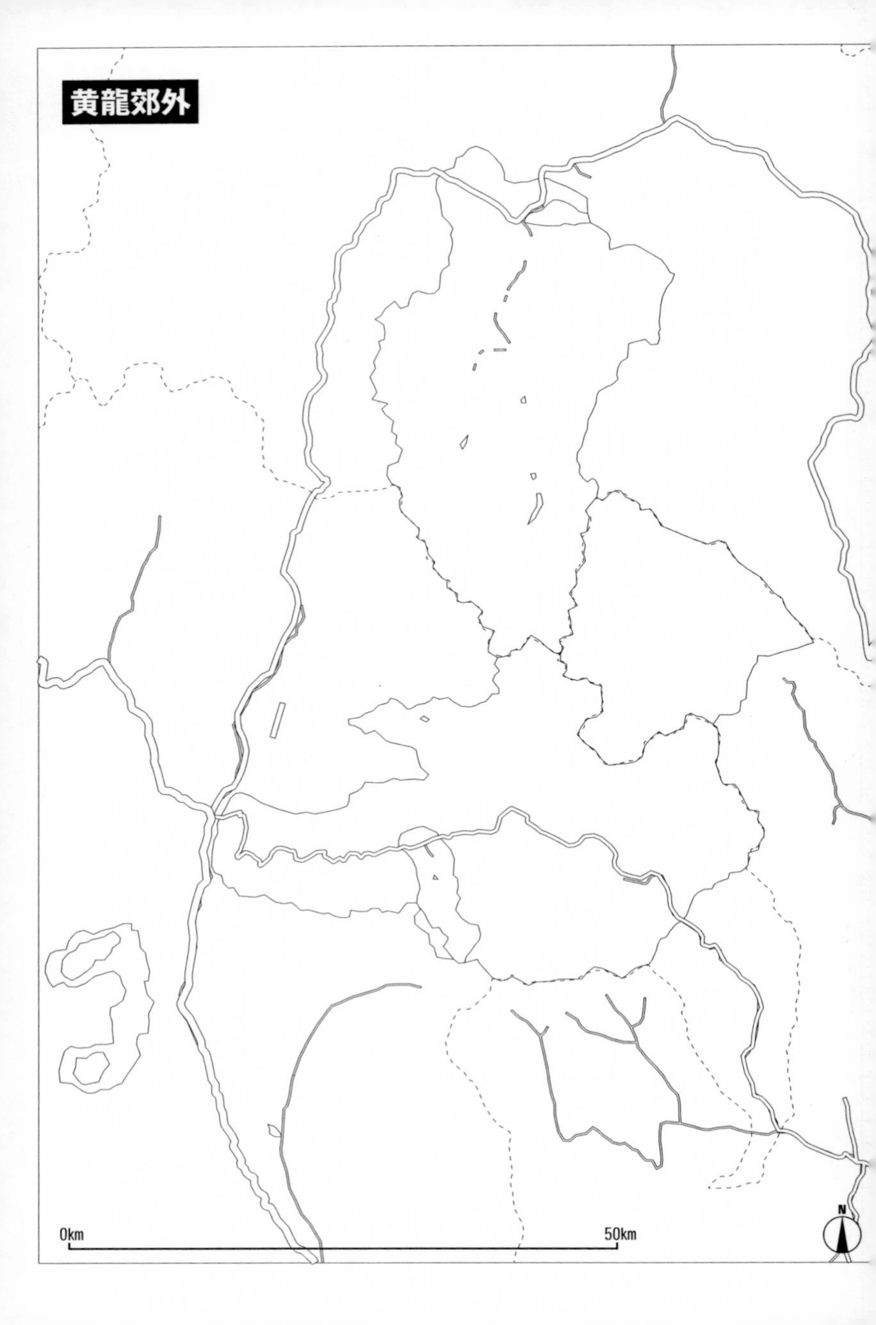
黄龍郊外
0km
50km
N

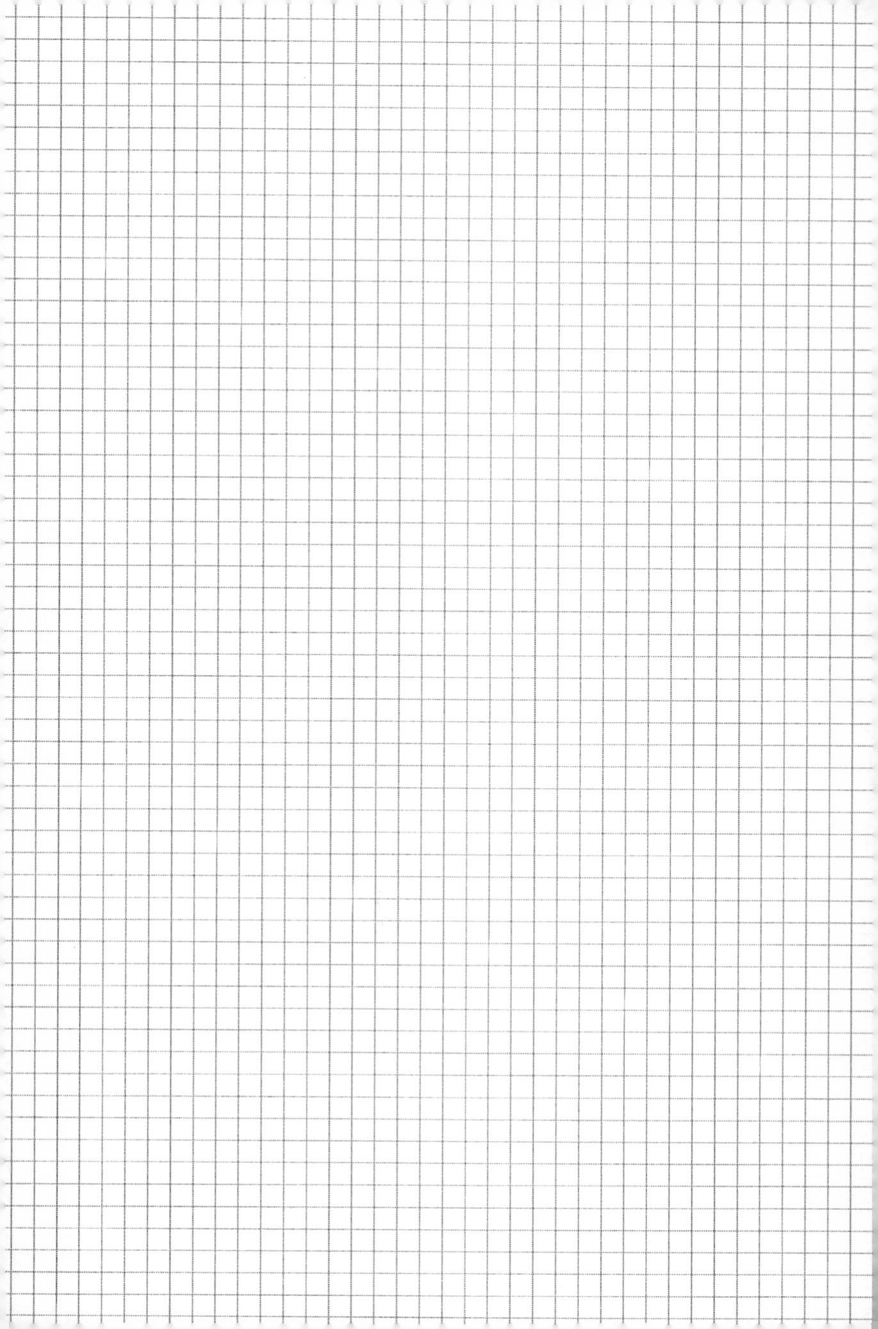

【車輪はつばさ】

南インドのアイラヴァテシュワラ寺院には
建築本体に車輪がついていて
寺院に乗った神さまが
人びとの想いを運ぶと言います

An amazing stone wheel of the Airavatesvara Temple
in the town of Darasuram, near Kumbakonam in the South India

まちごとチャイナ
四川省 008

九寨溝
四川蔵族と「ふしぎの渓谷」
［モノクロノートブック版］

「アジア城市（まち）案内」制作委員会
まちごとパブリッシング
http://machigotopub.com

・本書はオンデマンド印刷で作成されています。
・本書の内容に関するご意見、お問い合わせは、発行元の
まちごとパブリッシング info@machigotopub.com までお願いします。

まちごとチャイナ
四川省008九寨溝
～四川蔵族と「ふしぎの渓谷」

Digital Publishing

2020年 3月31日 発行

著 者 「アジア城市（まち）案内」制作委員会
発行者 赤松 耕次
発行所 まちごとパブリッシング株式会社
〒181-0013 東京都三鷹市下連雀4-4-36
URL http://www.machigotopub.com/
発売元 株式会社デジタルパブリッシングサービス
〒162-0812 東京都新宿区西五軒町11-13
清水ビル3F
印刷・製本 株式会社デジタルパブリッシングサービス
URL http://www.d-pub.co.jp/

MP215

ISBN978-4-86143-363-4 C0326 Printed in Japan